Galilée Le messager des étoiles

ジャン＝ピエール・モーリ著
田中一郎 監修
遠藤ゆかり訳

ガリレオ
――はじめて「宇宙」を見た男

1609年5月のことだった。
ヴェネツィアの造船所で、ひとりの男が熱心に
職人たちに質問を投げかけ、機械のしくみを理解しようとしていた。
その男の名は、ガリレオ・ガリレイ。
彼はそのころ、地球が宇宙の中心にあるのではなく、
太陽のまわりをまわっているということを、どうすれば人びとに理解してもらえるかに
頭を悩ませていた。ガリレオは、かなり以前から、
1543年に＊コペルニクスがとなえた地動説〈太陽中心説〉が正しいことを、
はっきりと確信していたのである。

知の再発見 双書140

Galilée
Le messager des étoiles
by Jean-Pierre Maury
Copyright © Gallimard 1986
Japanese translation rights
arranged with Edition Gallimard
through Motovun Co.Ltd.

本書の日本語翻訳権は
株式会社創元社が保持
する。本書の全部ない
し一部分をいかなる形
においても複製、転載
することを禁止する。

日本語版監修者序文

田中一郎

　ガリレオ・ガリレイが活躍した16〜17世紀，科学者という職業はまだ存在しなかった。当時，ヨーロッパの各地に大学はいくつもあったが，そこで科学者になるための教育が行なわれることはなかったし，科学者になるための確立されたコースというものも存在しなかった（わずかに天文学と数学だけは大学で教えられていたが，それも古代の書物を読むだけで，内容的にも三角形の内角の和は2直角であるという程度の初歩的レベルにとどまっていた）。

　だからガリレオが科学者として身を立てようとすれば，実際に自然を研究して何かを発見・発明し，それが有用であることを人びとに納得させる必要があった。ガリレオは，本書p.6以降の口絵にも示されているとおり，力学や天文学を理論的に研究する卓越した「科学者」であると同時に，望遠鏡や天秤，コンパス（現在の計算尺）などを手作りで製作する優れた「技術者」でもあった。その二面性は，そうした当時のヨーロッパの学問の状況を知ることで，はじめて理解することができる。さらには，そうした彼の多面的な能力が，誕生当時は玩具にすぎなかった「望遠鏡」を改良して

倍率をあげ，それを天上に向けて，人類史上はじめて「真実の宇宙」を観測するという偉業を可能にしたということができるだろう。

　1609年，ヴェネツィアで聞いた望遠鏡についてのうわさが，彼の運命を大きく変えることになった。本シリーズ『ニュートン』の序文でも書いたとおり，その後，自作の望遠鏡によって次々に発見された天文現象は，古代以来信じられてきた宇宙観を完全に否定することになったからである。確かに科学史的にいえば，宇宙の中心が地球ではなく太陽であるという地動説を最初にとなえたのが，ガリレオではなくコペルニクスであるということを，私たちは知っている。だが実際のところ，コペルニクスはそれを証明する証拠をほとんど示すことができず，彼の説を信じる人もごくごく少数にすぎなかったのである。

　ところがガリレオの観測した事実によって，もはや地動説は仮説ではなく，真実の高みへと引き上げられることになった。それはたんに，天文学の理論が間違ったものから正しいものに置き換えられたというだけではない。当時，宗教を含む人びとの生

活と常識は,すべて地球を中心とする天動説を前提に組み立てられていたから,それは世界の枠組みを根底からくつがえす,正に驚天動地の発見だったのである。本書に描かれているとおり,ガリレオが自作の望遠鏡を武器に,月や木星の真の姿を次々にあきらかにし,論争相手に打ち勝ち,権力者のあいだに支持を広げていく過程は,まさに手に汗を握るスリリングな知的ドラマといえるだろう。

　さらに重要なことは,ガリレオはそうした発見を,学問世界の言葉であるラテン語で『星界の報告』に書いたあと,一般の人びとも読めるイタリア語で『天文対話』を書き,詳しく説明した。その結果,彼の発見の重大さは大衆レベルでも知られることになり,その反響はさらに大きなものとなっていったのである。

　だが,そうした科学者としての大成功が,よく知られているとおり,カトリック教会との深刻な対立を生むことになった。当時の大学教授たちが疑い得ない真実と考えていた古代以来の学説を次々と論駁したことによって,ガリレオは数々の論争に巻き込まれ,多くの敵対者たちを作ることになったが,その最大のものが地動説をめぐる論

争であり,カトリック教会だったと考えてよい。絶えず既存の学問的権威に挑戦して,新奇なものを作り,未知のものを発見する一方で,社会的な権威である王侯貴族に頼ることで大学に職を得たり,宮廷に仕えたりしたガリレオの生き方には,本質的な危険が潜んでいたと言うことができる。

　ガリレオの科学研究は,望遠鏡を製作するまでは力学研究が中心で,ピサの斜塔での落下実験など,観察と実験を重視した有名なエピソードがいくつも残されている。本書は副題の「はじめて「宇宙」を見た男」に示されているように,そうしたガリレオの多様な業績のなかでも主として天文学に力点を置いたものだが,それでも読者は,いかにガリレオの研究が当時の人びとに深刻な影響をあたえたか,彼が真実を追究するうえでいかに大きな努力と苦難を体験したかを,じゅうぶんに知ることができるだろう。

「哲学〔=世界の基本原理〕は，われわれの眼の前につねに開かれている，この（宇宙という）きわめて巨大な書物のなかに書かれています。しかしその内容を理解するためには，まず，そこに書かれている言語と文字を理解しようと努力する必要があります。その本は数学という言語と，三角形や円，その他の幾何学的図形という文字で書かれています」

ガリレオ・ガリレイ
「偽金鑑識官」(1623)

[p.6〜11] 科学者であり，技術者でもあったガリレオの業績
☆　　☆
ガリレオ直筆の力学の図（『ガリレオ・ガリレイ全集』所収）

ガリレオの考案した揚水機復元模型
(科学史博物館, フィレンツェ)

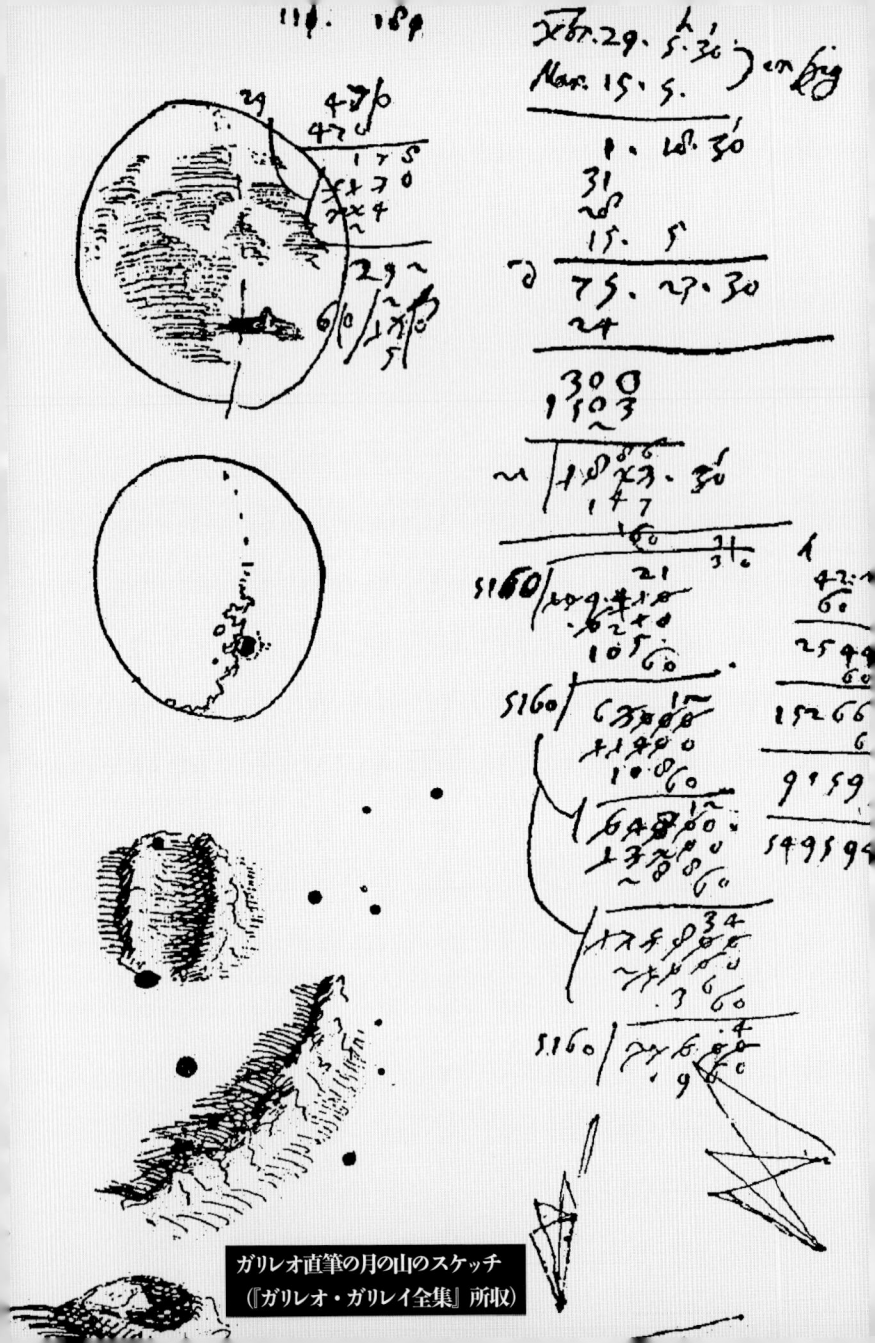

ガリレオ直筆の月の山のスケッチ
(『ガリレオ・ガリレイ全集』所収)

ガリレオが1610年に木星の衛星を観測したときの望遠鏡のレンズ（科学史博物館, フィレンツェ）

1610 Januarij

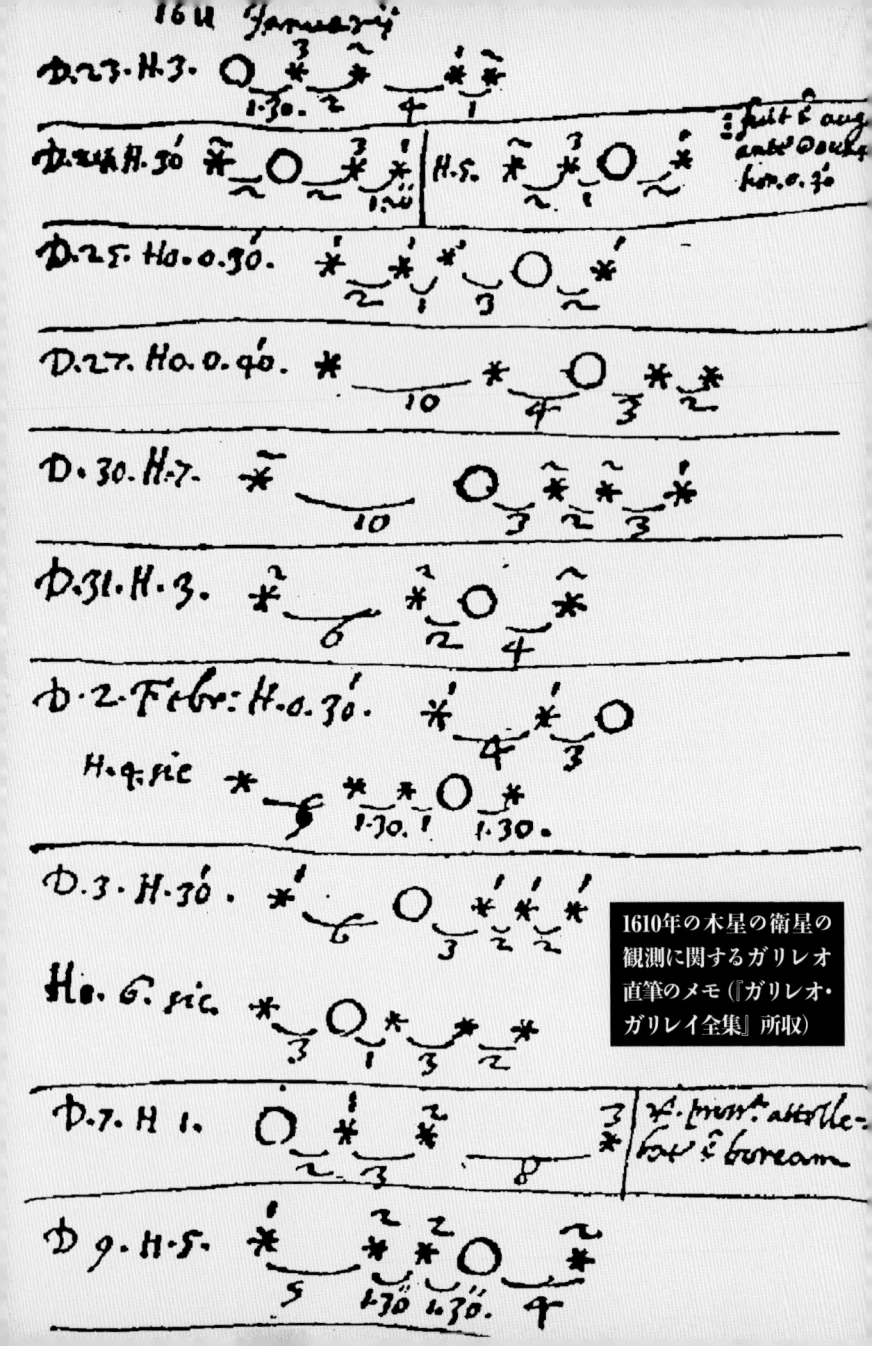

木星の衛星の動きを計算するためにガリレオがつくった「ジョヴィラーベ」という器具（科学史博物館, フィレンツェ）

CONTENTS

第1章 地動説の支持者，ガリレオ …………………………… 15

第2章 天空からのメッセージ ………………………………… 37

第3章 フィレンツェでの勝利 ………………………………… 53

第4章 罠にかかったガリレオ ………………………………… 81

資料篇 ①「宇宙」の発見 ……………………………………… 102
——はじめて「宇宙」を見た男—— ②ガリレオ裁判 …………………………………… 106
③戯曲のなかのガリレオ ………………………………… 112
④『新科学対話』 ………………………………………… 117
⑤相対性原理 ……………………………………………… 120
⑥ガリレオの手紙 ………………………………………… 123
⑦アインシュタインが見たガリレオ …………………… 128
⑧ガリレオの娘の証言 …………………………………… 130

年表 ……………………………………………………… 132

INDEX …………………………………………………… 134

出典（図版） …………………………………………… 136

参考文献 ………………………………………………… 142

ガリレオ──はじめて「宇宙」を見た男──

ジャン=ピエール・モーリ❖著

田中一郎❖監修

「知の再発見」双書140

創元社

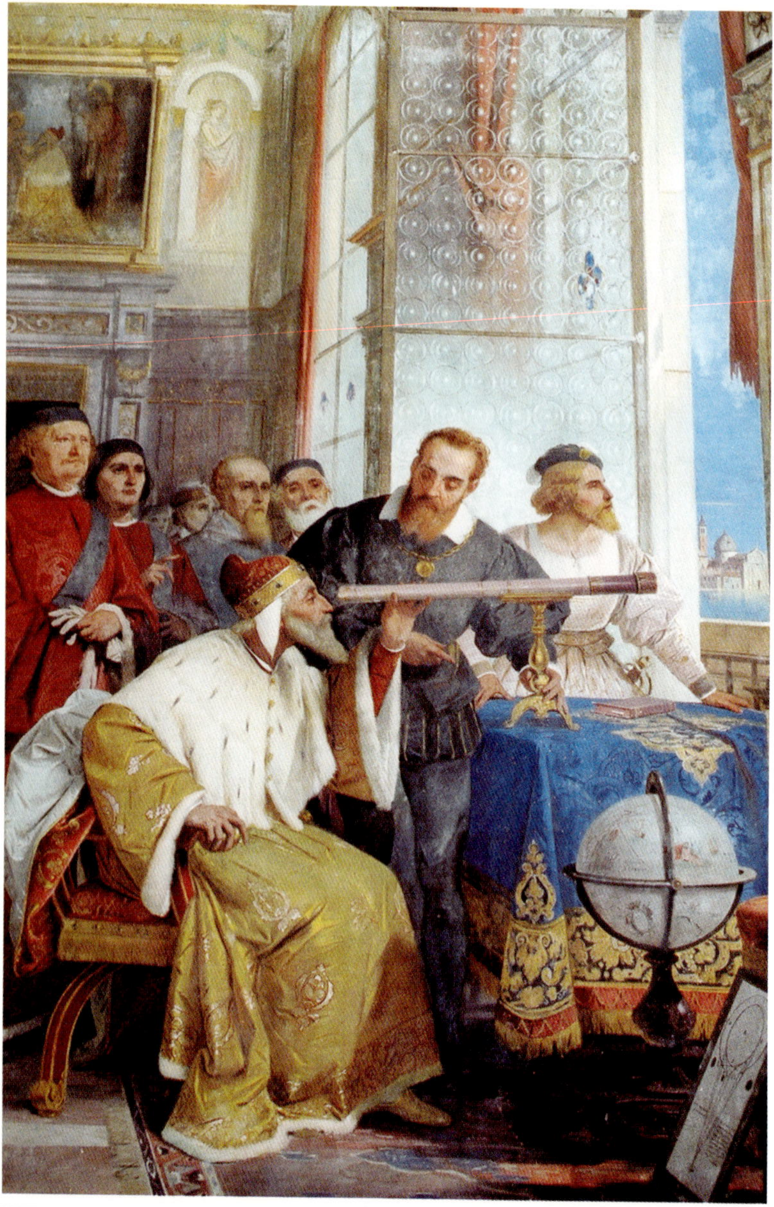

❖1609年5月のことだった。世界中の富が集まる貿易都市ヴェネツィアの造船所で，ひとりの男が熱心に職人たちに質問を投げかけ，機械のしくみを理解しようとしていた。その男の名は，ガリレオ・ガリレイ。彼はそのころ，地球が宇宙の中心にあるのではなく，太陽のまわりをまわっているということを，どうすれば人びとに理解してもらえるかに頭を悩ませていた。ガリレオは，かなり以前から，1543年にポーランドの天文学者コペルニクスがとなえた地動説（太陽中心説）が正しいことを，はっきりと確信していたのである。……………………

第 1 章

地動説の支持者, ガリレオ

〔左頁〕ヴェネツィア共和国の総督（元首）に望遠鏡の実演をするガリレオ——コペルニクスが主張するとおり，地球が太陽のまわりをまわっているのなら（つまり，教会が主張するように太陽が地球のまわりをまわっているのではないのなら），地球は宇宙の中心ではかく，たんなる惑星のひとつにすぎないことになる。ガリレオが天体望遠鏡によって証明したこの新しい事実は，当時の「知の枠組み」を根底からくつがえすものだった。

⇨天文観測を題材とした木版画

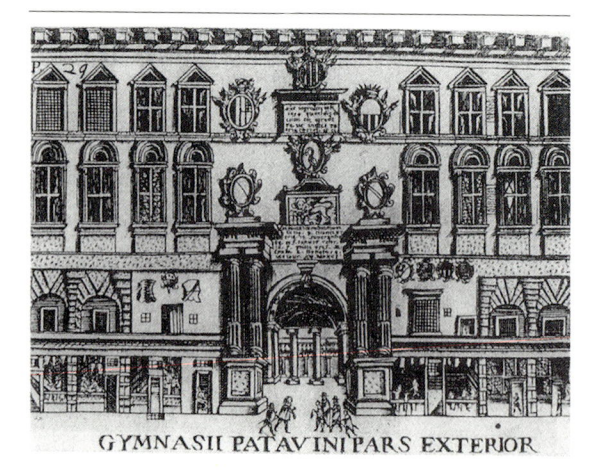

船をつくるためには、機械が必要である。非常に重い荷を移動させるための滑車やウィンチやローラー、船を滑らせて水に浮かべたり、反対に水から引きあげるための傾斜板など。この時代、それらはすべて人の手で動かされていた。人間がロープで引っぱったり、てこで動かしたりする以外、「動力源」は存在しなかったからである。馬などの家畜は、造船所ではあまり使われていなかった。

こうした機械とそのしくみは、当時は「数学」のジャンルに属していた。ガリレオはヴェネツィアから約30キロメートル離れたパドヴァ大学で、築城術や天文学と共に、数学を学生たちに教える大学教授だった。

ガリレオは、ほかの教授たちとは異なっていた

こんにちでは、大学教授が自分の講義に関係のある原理を観察するために作業現場へ行けば、感心してもらえるかもしれない。しかしガリレオの時代、そのような出来事はまったく仰天すべき行為といえた。大学教授にとって労働者や職人や船乗りたちの世界は、まったく断絶したものだったからである。そのうえ、一般の大学教授たちの講義は、ただ古

⇦パドヴァ大学——17世紀初頭、パドヴァはすぐ隣のヴェネツィアと同じく、知的活動の中心地だった。ヨーロッパでも最古の大学に属するパドヴァ大学のあったこの町では、科学の進歩について、自由に語り、討論することができた。異端審問所が隆盛をきわめていたこの時代に、そうした学問的自由がある場所はきわめて珍しかった。

ガリレオは28歳のときにパドヴァ大学の数学教授となり、その後この町で、生涯を通じてもっとも幸福で実りある18年間を過ごした。

⇩ガリレオによる滑車装置のデッサン

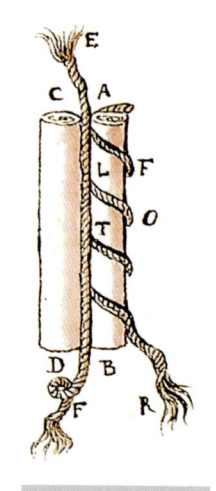

代の書物，おもに前4世紀のギリシアの哲学者アリストテレスの著作を注釈したものにすぎなかった。

だがガリレオは，それでは満足できなかった。彼は物理法則は，実験によって証明されなければならないと考えていた。そして，もし実験結果がアリストテレスの学説と矛盾している場合には，アリストテレスのまちがいを指摘することもいとわなかった。

⇩ヴェネツィアの造船所における船の建造——ヴェネツィアの造船所は，ヴェネツィア共和国が管理する国営企業だった。ここでは150人の職人が，商船と軍艦の両方をつくっていた。

左側下は，ガリレオが造船所で観察した滑車装置のデッサン。木材にらせん状に溝を刻み，そこにロープを巻きつけることで，ブレーキの効果を高めていた。つまり摩擦力をもちいて，重い積み荷の動きをコントロールしていたわけである。

ガリレオの生きた17世紀の時点で，科学はアリストテレスの時代から約2000年のあいだ，ほとんど進歩していなかった。だがその一方で，技術はつねに進歩していた。たとえば造船所でガリレオは，新しく改良された滑車装置を観察している。木材にらせん状に溝を刻み，そこにロープを巻きつけたブレーキが考案されていたのである。その装置がどこで考案されたのか，それは厳密にはどのように機能するのか，強く興味を引かれたガリレオは，それをスケッチした。彼のデッサンは，ヴェネツィアの芸術家たちからも高く評価されるほ

どの腕前だった。

　その日，彼は作業に没頭しすぎたのと，まわりの喧騒がひどかったため，鐘の音が聞こえなかった。気づくと，すっかり日は傾いている。そろそろ，レセプションが開かれるモロシーニの館へ向かわなければならない時間だった。歩いていこうか，それともゴンドラに乗ろうかと迷ったガリレオは，散歩がてら歩いていくことにした。それはとても気持ちのよい晩で，どこかの開け放たれた窓から，歌声と見事なリュートの伴奏が聞こえてきた。ガリレオは，リュートを演奏することが好きだった。聞こえてくる曲は，かつてピサに住んでいたころ，父親に教わったものだった。織物商だった父ヴィンチェンツォ・ガリレイは，音楽家で作曲家でもあり，和声法の本を何冊も書いていた。

　途中で彼は，思い直してゴンドラをよんだ。ゴンドラが大運河にさしかかるあいだ，ガリレオは今夜おそらく友人のサルピに会うことができるだろうと考えていた。サルピは学者で歴史家でもある修道士で，公安事件をあつかう十人会議のメンバーでもあった。のちに彼は，ローマ教会に対して独立を守っていたヴェネツィアから宗教的自由を奪おうとしたイエズス会修道士たちの策略について，ガリレオに語ることになる。また，外国からやってきた人びととも会うことができるだろう。ヴェネツィアへの著名な来訪者たちはみな，歴史家アンドレア・モロシーニの館を訪れたからである。事実，ガリレオは17年前から，オランダ，フランス，バイエルン，

⇧ヴェネツィア全景——17世紀初頭には，それまで3世紀にわたって地中海に君臨したヴェネツィア海軍も，すでに弱体化が著しかった。またアメリカ大陸と東アジアへの航路が発見され，世界の主要な通商路が地中海沿岸から遠ざかったことで，ヴェネツィアの貿易都市としての地位も大きく低下しつつあった。

　上の図では，右側に造船所，中央左寄りには町の中心であるサン・マルコ広場と鐘楼が見える。

018

第1章 地動説の支持者，ガリレオ

⇩アンドレア・モロシーニの肖像——モロシーニ家はヴェネツィアの由緒ある貴族で，ガリレオの時代にはすでにヴェネツィア共和国の総督(元首)をすでに3人も出していた。

　1598年からヴェネツィア共和国の公的な年代記作者となったアンドレア・モロシーニは，新しい知識を求めて，ヨーロッパ各地からの知識人たちを積極的にもてなした。コペルニクス説を支持して異端の疑いをかけられ，逃亡生活を送っていた哲学者ジョルダーノ・ブルーノも，同じく名門貴族だったモチェニーゴのすすめで，モロシーニの館をたびたび訪れた。しかし1592年に，彼はそのモチェニーゴによって異端審問所に引き渡され，8年後の1600年2月に火刑に処せられた。

ラインラントからやってきた旅行者たちと知りあっていた。

　ゴンドラがモロシーニの館の前に横づけになると，ガリレオは階段を駆けあがった。1609年5月のこの夜が特別な夜であることを，彼はまだ知らなかった。この夜，彼は人生を変えることになるニュースを聞くのである。それは，オランダの眼鏡師が，2枚のレンズを筒の両端につけた，望遠鏡という玩具をつくったというニュースだった。

■当時の科学者にとって，望遠鏡は「将来性のない玩具」だった。しかしガリレオは，そうは考えなかった

　望遠鏡は，5年前からすでに存在していた。はじめはオランダの眼鏡師たちによってつくられ，その後少しずつ広まって，1608年にはパリでも見られるようになっていた。

　しかしそれらの望遠鏡は，玩具としてでさえ，たいし

019

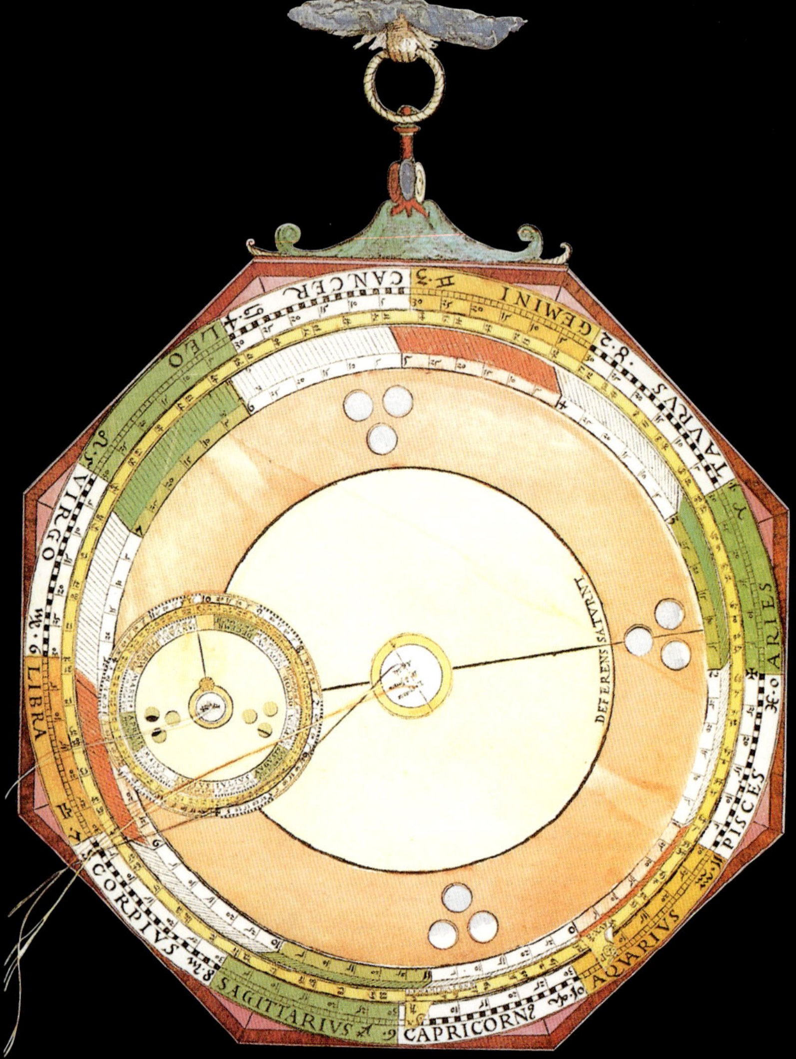
CANCER
GEMINI
TAVRVS
ARIES
PISCES
AQVARIVS
SAGITTARIVS
SCORPIVS
LIBRA
VIRGO
LEO
DEFERENS SATVRNI

第1章 地動説の支持者,ガリレオ

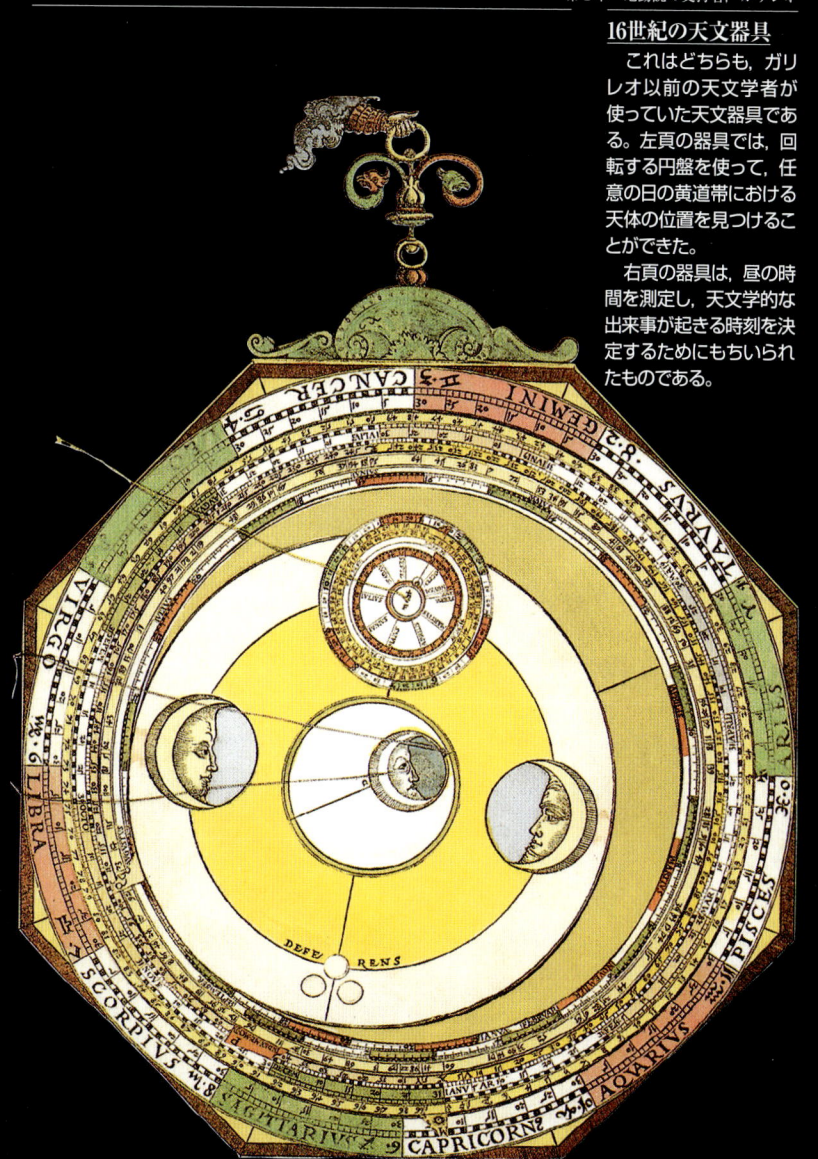

16世紀の天文器具

　これはどちらも,ガリレオ以前の天文学者が使っていた天文器具である。左頁の器具では,回転する円盤を使って,任意の日の黄道帯における天体の位置を見つけることができた。
　右頁の器具は,昼の時間を測定し,天文学的な出来事が起きる時刻を決定するためにもちいられたものである。

て出来のよいものではなかった。ものが2〜3倍にしか拡大されず、ぼやけたりゆがんだりして見えたからである。そのため、一般の人びとはすぐに関心を失った。

科学者たちもまた、それが大きな可能性を秘めた新発明であることを理解できなかった。彼らにとって光学器具は、まったく興味の対象ではないばかりか、有害なものですらあった。なぜならそれは人間に、真実からかけ離れた錯覚を見させるものだと考えられていたからである。

だが、一般の科学者たちのような先入観をもっていなかったガリレオは、望遠鏡を自分でつくってみることにした。彼にとって実験は、物理法則を発見し、立証するための基本的な手段であり、同時に彼は造船所で機械を観察していたことからもわかるとおり、技術に強い関心をもっていたからである。数年前から彼は、物理や数学で使う器具をいくつも考案していた。なかでも「幾何学的・軍事的コンパス」は、大砲を発射するときの仰角や火薬量をはじめ、ありとあらゆる計算や作図を可能にするものだった。

さらに、お金に苦労していたガリレオは、望遠鏡でひと稼ぎしたいとも考えていた。パドヴァ大学の数学教授の給料はきわめて少なく、同じ大学の医学教授の10分の1でしかなかった。それなのに、当時彼には3人の子どもがいて、末の子はまだ3歳だった。そのうえ、父の死後、トスカナに残してきた母や妹たちも養う必要があった。

そういうわけで、彼は裕福な学生たちに個人授業をして生活の足しにしていた。彼らはその多くが外国からやってきた貴族の子弟たちで、大半がたいていは召使と一緒にガリレオの家に下宿していた。さらにコンパスをつくる職人とその家族や、学生用の教科書を模写する書記、数人の使用人などが一緒に住んでいたことを考えると、パドヴァのガリレオの家はかなり騒々しかったことだろう。

さらに、彼には自由な時間がほ

⇩ ガリレオの「幾何学的・軍事的コンパス」——1597年ごろにガリレオが考案したこのコンパスは、計算尺の原型といえる。これを使えば、利息の算出、通貨の換算、面積や体積、さらには大砲を発射するときの仰角や火薬量など、さまざまな数値をすばやく計算することができた。このコンパスが大成功を収めたため、1606年にガリレオはコンパスの使用法を書いた小冊子（⇧）を60部印刷している。

とんどなかった。大学での講義と、そのための資料もすべて自分で作成しなければならなかったからである。ガリレオが担当していた教科には、教科書の類がいっさい存在しなかったのだった。

それでも彼は、在職中に数多くの実験を行ない、とくに運動の研究において数々の重要な法則を発見した。だが、彼にはそうした発見を本にまとめるだけの時間がなかった。この時点で彼が発表していたのは、コンパスの使用法を説明した小冊子だけだった。彼は友人たちに、自分には考える時間さえないと不満を漏らしている。望遠鏡が十分な金銭をもたらせば、個人授業をしなくて済む。そうすれば、思う存分考えたり本を書いたりする時間ができるのである。

それ以上に重要な理由もあった。なにより望遠鏡があれば、空を観察することができるからである。17世紀初頭の科学界では、天空に関する論争がひそかに進行していた。2000年来維持されてきた古い考えが、新しい学説、つまりコペルニクスの地動説によって、再検討の対象となっていたのである。

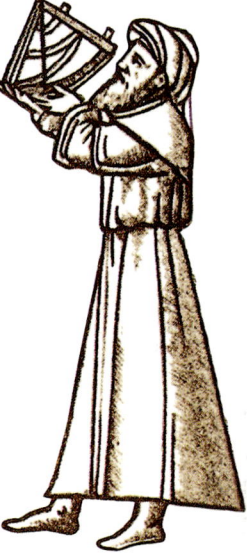

↑望遠鏡が考案される以前の天文器具——レンズこそないが、この器具を使えば、正確に照準を合わせ、天体の位置を測定することができた。

■ガリレオはコペルニクスの地動説の支持者だった

1609年の時点で、ガリレオは少なくとも20年前からコペルニクスの地動説を支持していた。しかし、彼はまだ公然とそのことを表明していなかった。それどころか、大学のカリキュラムどおりに、地球は宇宙の中心で静止しているというプトレマイオスの古い天文学を学生たちに教えていた。彼はなぜ、このように慎重な態度をとっていたのだろうか。

なによりもまず、コペルニクスの考えを公然と支持するのは、危険が大きすぎたということがある。それはプトレマイオスの説に異議をとなえるだけでなく、聖書を否定することにもなるからだった。聖書によれば、地球は宇宙の中心で静止していて、太陽が地球のまわりをまわっている（天動説）。カトリック教会はコペルニクス説を正式に禁止することはなかったが、コペルニクス説を支持した哲学者ジョルダーノ・ブルーノは、異端審問所によってローマで火刑に処せられた。それは1600年のことで、わずか9年前の出来事だった。

もっとも、ブルーノはコペルニクス説の支持者だったという理由だけで教会から罪を問われたわけではない。だからコペルニクス説を公然と支持しても、ガリレオが火刑に処せられる危険性はなかったはずだが、異端審問所からは確実に目をつけられ、同僚

⇩ジョルダーノ・ブルーノの肖像──ドミニコ会修道士で哲学者だったジョルダーノ・ブルーノは、1576年から異端の罪に問われていた。彼は修道会を追われ、外国へ逃亡せざるを得なくなった。何年もの放浪生活ののち、彼はヴェネツィアに落ちついたが、ローマの異端審問所に引き渡され、6年間にわたる獄中生活ののち、火刑に処せられた。著書のなかで、彼はアリストテレスを批判し、コペルニクス説を擁護している。さらに彼は、宇宙は無限で、太陽のような天体がほかにも存在し、それらのまわりを人間の住む惑星がまわっている可能性があるとまでのべていた。

たちを敵にまわすことにはなっただろう。彼らはアリストテレスの権威を踏みにじるガリレオに対して，すでに不満をつのらせていたからである。

　ガリレオは論争に身を投じることを恐れていたわけではなかったが，もっと信頼に足るものをよりどころとする必要性を感じていた。彼にとって，なによりも信頼できるのは実験だった。なんの根拠もない「考察や推論や反論」ならば十分に存在したが，コペルニクスが正しいという証拠はひとつもなかった。彼自身はコペルニクスの正しさを確信していたが，ほかの人びとを納得させるためには実験結果が必要だった。

　それはちょうど，夏休みがはじまる時期だった。例年ならばガリレオは，フィレンツェへ行ってトスカナ大公国の若き後継者コジモ・デ・メディチの勉強を見ることになっていた。しかしこの年，父の死去によってコジモは大公となり，ガリレオは彼の勉強を見なくてもよくなった。こうしてはじめて，彼は自由な時間を手にすることになったのである。

⇩プトレマイオスとコペルニクスの宇宙論——1651年に描かれたこの版画で，上部中央の神の手は，左側のコペルニクス体系と右側のプトレマイオス体系を比較したうえで，プトレマイオス体系に勝利をあたえているように見える。
　左頁上は，プトレマイオス体系を表現したアーミラリー天球儀。

SCENO
SYSTEMATIS
PTOLE
SEPTE NTRIO
POLVS ARCTICVS
CIRCVLVS ARCTICVS
AXIS MVNDI
TROPICVS ÆSTIVVS SEV TROPICV
SATVRNVS
MARS
LVNA
VENVS
OCCIDENS
TROPICVS HYBERNVS SIVE TROPICVS
CIRCVLVS ANTARCTICVS
POLVS ANTARCTICVS
MERIDIES

プトレマイオス体系

左は2世紀にエジプトのアレクサンドリアで活躍した,ギリシアの偉大な天文学者プトレマイオス(⇩)が考えた宇宙の図である。

彼の主著『アルマゲスト』によれば,地球は宇宙の中心にあり,そのまわりを空気がとりかこんでおり,さらにそのまわりを火がとりかこんでいる。その外側には,月と太陽を含む惑星にそれぞれ割りあてられた7つの天球と,恒星のための8番目の天球がある。9番目には透明な天球があり,10番目にはほかの天体を動かすための天球がある。そしてさらにその先に,神の領域である天が存在するのである。

この「地球中心説(天動説)」は,その後,16世紀にコペルニクスが登場するまで,1400年ものあいだ信じられることになった。

SCENO
SYSTE
COPER
CAN
CER
GEMI
NI
SEMITA SATURNI QUI TRIGINTA ANNIS REVOLVITUR
IUPITER
CIRCULUS MARTIS DUORUM ANNORUM
ÆQUINOCTIUM
VERNUM
SCOR
PIUS
SAGI
TARIUS

コペルニクス体系

1473年にポーランドで生まれたニコラウス・コペルニクス（⇩）は、ヨーロッパ最古の大学のひとつであるクラクフ大学で数学を学び、その後、イタリアのボローニャ大学とパドヴァ大学でも学んだ。

彼が主著『天球の回転について』を出版したのは1543年になってからのことだが、すでに1506年から彼は、太陽は動かず、ほかの惑星と同じく地球が太陽のまわりをまわっており、恒星の動きは地球の自転による見かけ上のものにすぎない（地動説）と考えていた。この考えは現実の天体の動きをうまく説明できたが、その一方で地球を宇宙の中心に置く聖書の記述とは矛盾するものだった。

だがコペルニクスにとって幸運なことに、この本は彼の死とほぼ同時に出版され、さらに慎重を期して、序文には、この考えは現実に即したものではなく、あくまで数学的な仮説であると書かれていた。そのため、カトリック教会はこの本を大目に見たのである。

PLANISPHÆRIVM
Sive
MVNDI TOTIVS
TYCHONIS
PLANO
Prostant Amstelædami apud
GERARDUM VALK et
PETRUM SCHENK.

SYSTEMA PLANETA-
RVM SOLEM HUC
DESCENDEN-
TEM COMI-
TANTIVM.

MARS   MARTIS CIRCVLVS
IVPITER IOVIS CIRCVLVS
SATVRNVS SATVRNI CIRCVLV

ティコ・ブラーエ体系

デンマークの天文学者ティコ・ブラーエ（⇩）は、プトレマイオス体系とコペルニクス体系の中間的な世界体系を提示した。つまり、地球は宇宙の中心で動かず、太陽が地球のまわりを円を描きながらまわっているが、ほかの惑星はその太陽のまわりをまわっているというものである。

レンズのない観測器具しか使えなかったにもかかわらず、彼はかなり正確な惑星運動の一覧表をつくることに成功した。ティコ・ブラーエの助手をつとめたドイツの天文学者ケプラーは、その成果をもとに、ケプラーの法則とよばれる一般法則を導きだしている。

大きな期待をいだきつつ、ガリレオは高性能の望遠鏡の製作にとりくんだ

すぐに彼は、それまで眼鏡師たちがつくっていた望遠鏡のような眼鏡用のレンズを使った望遠鏡では、それほど性能のよいものができないことに気づいた。高い倍率と鮮明な像を得るためには、特別なレンズが必要だった。2枚のレンズのうち、1枚は度の弱い凸レンズ、もう1枚は度の強い凹レンズを使えば高性能の望遠鏡ができる。

しかし当時の眼鏡師たちがつくっていたレンズは、度の強い凸レンズと度の弱い凹レンズだった。そのため、ガリレオは高性能

⇧ガリレオの望遠鏡——16世紀には、2枚の拡大レンズを組みあわせると、より高い倍率の望遠鏡ができることは知られていた。しかし、拡大レンズではない2枚のレンズを組みあわせたほうがより高い倍率を得られることには、誰も気づかなかった。

遠くのものを大きく見せる望遠鏡をつくるために、ガリレオは対物レンズとして、度の弱い凸レンズ（単独で使うときには、度の弱い凸レンズはそれほどものを大きく見せない）を使った。そしてもう一方の接眼レンズ（左下）には、単独で使えば遠くの像の大きさを著しく縮小させる、度の強い凹レンズを使った。

第1章 地動説の支持者, ガリレオ

の望遠鏡をつくるために, 自分でレンズを研磨しなければならなかったのである。幸いにも, ヴェネツィアはヨーロッパにおけるガラス製作の中心地だったため, 彼は材料や研磨剤など必要なものを簡単に手に入れることができた。

まもなく彼は, 像がぼやけたりゆがんだりすることなく, 対象物を6倍に拡大できる望遠鏡を製作した。比較のために例をあげれば, 現在もっとも普及している双眼鏡の倍率は7倍である。またすでに触れたように, 眼鏡師たちがつくった「玩具」は, ものが2～3倍にしか拡大されず, しかもぼやけたりゆがんだりして見えていた。

この結果に励まされたガリレオは作業をつづけ, 8月はじめには, 像がゆがまず9倍の倍率をもつ望遠鏡を完成させた。彼はこの望遠鏡の出来栄えに満足し, 話を聞きつけたヴェネツィア共和国政府から実演を求められたとき, 即座に承諾した。1609年8月21日に, ガリレオはヴェネツィアの鐘楼の上で, 元老院議員たちに望遠鏡を披露した。

議員たちの興奮と, 天文観測の始まり

その日, 議員たちは100メートル近い高さのある鐘楼の階段を進んでのぼりはじめた。建物の30階分に相当する高い鐘楼の上にのぼるのはかなりの苦行だったが, 議員たちはそ

「10ヵ月ほど前, あるオランダ人が望遠鏡を製作したという話を聞いた。それを使えば, 観測者の目から非常に離れた対象物が, まるですぐ近くにあるようにはっきり見えるというのである。(略) そこで, 同じようなものをつくるために, この種の器具の構造を研究することに私は没頭した。まもなく私は, 光学理論をよりどころとして, それに成功した。まず鉛の筒を用意し, その両端に2枚のレンズをとりつけた。2枚とも片面は平らで, もう片面は, 1枚は凸状で, 別の1枚は凹状のものである」

ガリレオ『星界の報告』
（1610年）

⇩『星界の報告』に収められた望遠鏡の説明図

033

のことを苦にしなかった。なぜなら，彼らは期待以上の驚くべき現象を見ることができたからである。それは文字どおり，魔法のような光景だった。

32キロメートル離れたパドヴァの教会が，望遠鏡を通すと，3キロ先の場所のように見えた。3キロ先のムラノ島にいたっては，300メートルの近さにあるように見え，しかも道を歩く人びとの姿まで識別できたのである。議員たちの興奮は，大変なものだった。

ガリレオはただちに，望遠鏡をヴェネツィア共和国に寄贈した。軍事的な目的として望遠鏡が使える可能性に心を動かされた元老院は，ガリレオをおおいにほめたたえた。満場一致でガリレオには終身ポストがあたえられ，すぐに給料が2倍に増額された。

こうしてガリレオは，計画の第1段階を実現することになった。わずか4ヵ月で望遠鏡が栄光をもたらし，金銭問題の大半も解決したのである。しかしまだ，第2段階が残っていた。

「片目を望遠鏡につけ，もう片方の目をつぶり，われわれはみな，パドヴァのサンタ・ジュスティナ教会の丸天井と正面をはっきりと見た。また，ムラノ島のサン・ジャコモ教会に入っていく人びとや，そこから出ていく人びとの姿もはっきりと見えた。（略）そしてそのほかの部分も驚くほど細部まで見えた」

アントニオ・プリウリ
（ヴェネツィア共和国執政官）

彼はパドヴァに戻り，急いでもうひとつの望遠鏡，今度は20倍の倍率のものをつくった。そしてガリレオは，その望遠鏡を空に向けたのである。

　幾晩も，ガリレオは期待していた以上にすばらしい驚異の世界を空に見いだした。それまで無数の人びとが，新しい島を発見し，前人未到の海岸に降りたち，まだ地図に載っていない谷や湖や山を発見したいと夢見てきた。しかし，望遠鏡を通してガリレオが発見したものは，島でも山でもなかった。それは，まだ誰も見たことのない新しい世界，新しい宇宙だったのだ！　あまりに驚くような出来事が続々と明らかになったため，ガリレオは即座にそれを発表することにした。

　そして1610年3月，彼は小さな本を出版する。『星界の報告』と題されたその本は，どんな国の教養人でも読めるよう，当時の共通語であったラテン語で執筆されていた。

サン・マルコ大聖堂のテラスに置かれたガリレオの望遠鏡——1610年当時，ヴェネツィアは押しも押されぬ知的中心地で，その華麗さと洗練された様子によって，芸術家や学者たちから理想の居住地とみなされていた。しかしガリレオにとってヴェネツィアは，一時的な滞在地にすぎなかった。

　それでも彼は，ヴェネツィア共和国の総督の前で大勝利を収めた。そのときガリレオは望遠鏡の効果を実演してみせたが，その望遠鏡こそがこのあと，コペルニクスが想像した宇宙の姿を実証し，天文学と物理学を一変させることになるのである。

　この写真は，ガリレオが使った望遠鏡が置かれたサン・マルコ大聖堂のテラス。左側に，総督宮殿が見える。それと向かいあう形で，円柱の上に聖マルコの翼のあるライオン像が置かれているが，これはヴェネツィア共和国の紋章である。その像の背後に見えるのは，サン・ジョルジョ修道院が建つサン・ジョルジョ・マッジョーレ島。

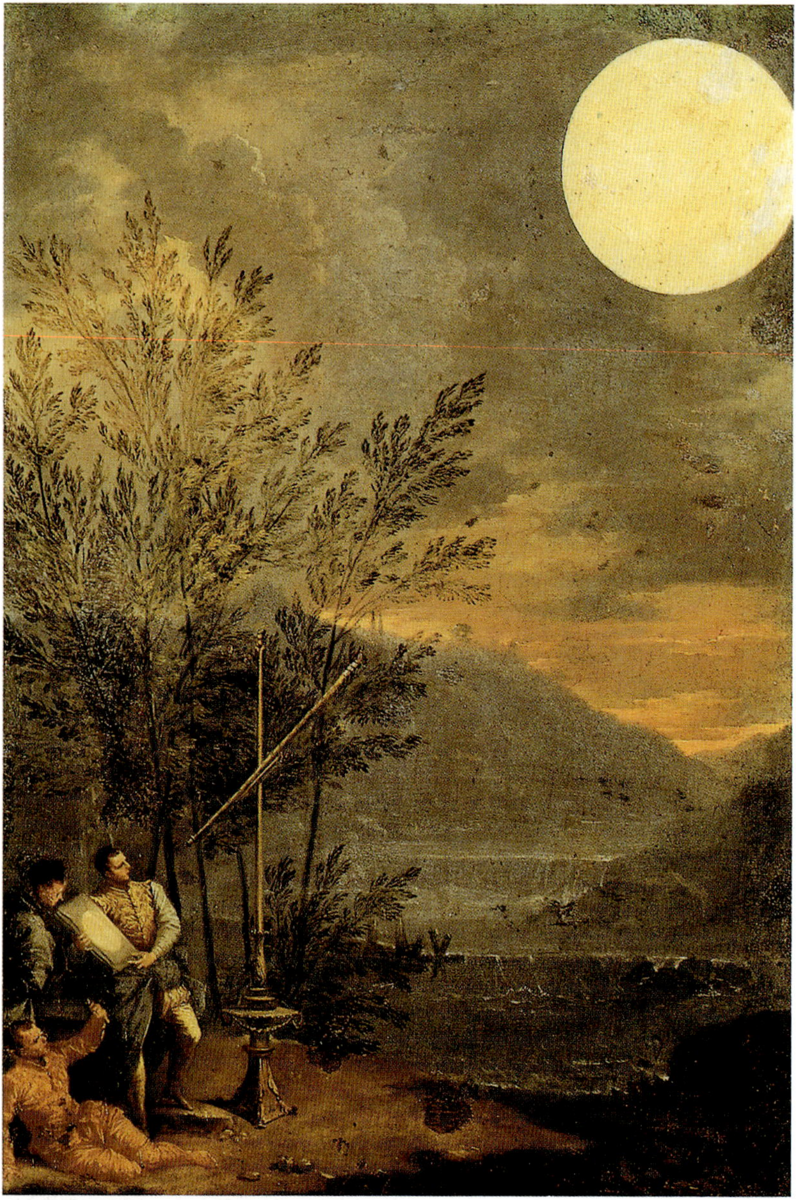

❖ガリレオがはじめて望遠鏡を空に向けたとき、最初に観測したのは月だった。そのときの彼の驚きは、われわれの想像の域をはるかに超える。それまでの天文学では、月はなめらかで完全な球体をしており、水晶のようにつるつるであると考えられていた。ところが望遠鏡をのぞいたガリレオは、それとは正反対のものをそこに見たのである。……………………

第 2 章

天空からのメッセージ

〔左頁〕『天体観測』と題された絵画
⇨ガリレオの望遠鏡──「地上の観察はやめて、私は天空の観測にとりかかった。まず最初に月を見たが、まるで地球の半径の2倍の距離にあるかのように近くに見えた」。

ガリレオ
『星界の報告』(1610年)

月にはいくつもの山があることをすでに写真で知っているわれわれでさえ、はじめて望遠鏡で月を見たときには衝撃を受ける。望遠鏡のなかの月の表面は、空に丸く浮かぶ姿からは想像できないほど、凸凹だらけだからである。ガリレオもまた、望遠鏡で月を見たとき、激しく動転した。

『星界の報告』のなかで、彼はこう書いている。「新月から4〜5日たって、三日月状に輝いている月は、光と陰の部分の境界線が、きれいな直線を描いていない。完全な球体上ならばそうなるはずなのに、その境界線は凸凹で曲がりくねっている」。ガリレオは文章で説明するだけでは飽きたらず、かなり上手なデッサンも描いている（⇨右頁）。

■ガリレオは確信した。月にはいくつもの山がある。彼はそのことを証明しようとした

　光と陰の部分の境界線の近くでは、光の部分に小さな黒い斑点が、陰の部分に明るい斑点がある。境界線が移動するにつれて、黒い斑点は減り、明るい斑点は増える。それはまさに、地上における現象と同じである。太陽が空にのぼるとき、山上の部分は明るく照らされ、谷間の部分は暗いまま残される。つまり、この現象は月に山があることを意味している。

　こうした月の山と谷を、ガリレオは「クジャクの尾にあるような斑点」と表現し、太陽側には黒い縁どりが見え、反対側の縁は明るく照らされているといっている。それらは山々をとりかこむ円形の谷で、現在われわれがクレーターとよんでいるものだった。

　この陰の部分の長さをもとに、ガリレオは山の高さを計算した。なかには4マイル（7000メートル）に達するものもあり、

⇧アポロ11号によって撮影された月の写真

〔右頁〕『星界の報告』に収められたガリレオのデッサン——「月の表面は、哲学者の多くが月やほかの天体について断言しているように、なめらかで一様で厳密な球体ではない。それどころか、凸凹で起伏があり、くぼみや丘だらけで、山脈や深い谷が縦横に走っている地球の表面と、なんら変わりがない」

ガリレオ
『星界の報告』（1610年）

第2章 天空からのメッセージ

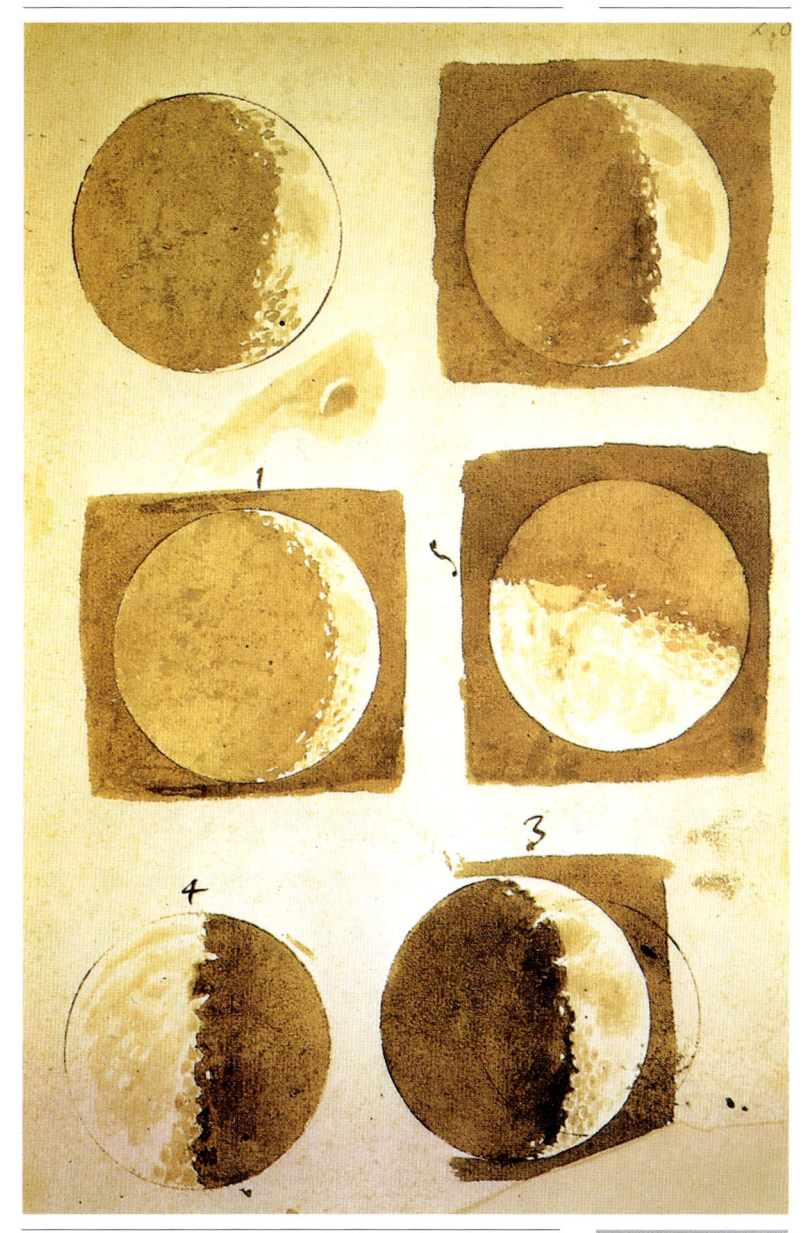

それらは当時知られていた地球の山よりもずっと高かった。つまり、月は地球よりはるかに小さいのに、地球にある山よりも高い山をもっているのだから、地球よりもずっと起伏があることになる。

ここでガリレオは、予想される反論をあらかじめ制している。つまり、月がこれほど起伏に富んでいるならば、全体ではなぜ縁がギザギザではなく、見事な円に見えるのか、という反論である。それに対して、月の縁にはたくさんの山脈が重なりあうように連なっているため、ある山脈のくぼみは別の山脈の隆起で埋めあわされているように見えるから、と彼は答えている。それは、まさしく荒れた海のようだと彼はいう。遠くから見ると、荒れた海も平坦に見える。それは、波頭がみな同じ高さにあるので、そのあいだにあるくぼみを隠してしまうからである。

山や谷といった地球にあるものをさす言葉を使って、ガリレオは月を描写した。彼は、一番大きなクレーターを、山脈にかこまれたボヘミアのある地方になぞらえることまでした。彼にとって、地球の性質も月の性質も同じだったのである。

⇦ ⇨ 『星界の報告』に収められたガリレオの月のデッサン——大きなクレーターが際だって見えるのは、これらのデッサンのように、光と陰の境界線が月を半分にわけるときである。

一方、ガリレオがはじめて説明した「地球の輝き」あるいは「地球照」を見るには、右頁のような新月の前後の細い三日月のときが適している。

「地球照」と「地球の輝き」の謎が、ついにあきらかになった

さらに彼は、「地球照」の現象をはじめて説明した。「地球照」とは、新月の前後に月の陰の部分が灰色がかって見えるものである。この現象ははるか昔から知られており、さまざまな詩的な名前、たとえば「新しい月の両腕

に抱かれた古い月」などという名前で呼ばれてきた。しかしガリレオ以前には，この現象を正しく説明することができた人は，ひとりもいなかった。

　望遠鏡で月を観測する以前に，ガリレオはその説明を思いつき，何人かの友人や学生たちに伝えていた。しかし，ついに望遠鏡による発見によって，公然とその説明を行なうことができるようになったと彼は感じていた。

　ガリレオはまず，この光は月固有のものではなく（もし月固有のものならば，食のときでも光りつづけるはずである），恒星からの光でもなく，何人もの人が主張してきたように「月を貫く」太陽の光でもないことをあきらかにした。それでは，なにが月を照らしているのか。それは地球である。月がわれわれに暗い半分の部分を向けているとき，まさしく地球は照らされた半分の部分を月に向けている。つまり，「地球照」とは「月を照らす地球の輝き」なのだ。

　月には地球と同じく山があることを証明したあと，ガリレオは，地球が月と同じく輝いている，つまり太陽の光を反射していると断言した。それでは，地上（月下界＝不完全でつねに変化する世界）と天上（天上界＝完全で不変の世界）のあいだに絶対的な区別があるとする伝統的な宇宙像は，どうなってしまうのだろうか。

「こうしたことから，地球が月に反射する光はかなりのものである，という結論にいたります。そしてなによりも重要なことは，そこから地球と月にかなりの類似性があるという事実を引きだせるということです。つまり，惑星が光と運動によって地球に影響をおよぼしているならば，地球も惑星に対して，光と，あるいは運動によってでさえ，相当の影響をおよぼしている可能性があるのです」

ガリレオ
『天文対話』(1632年)

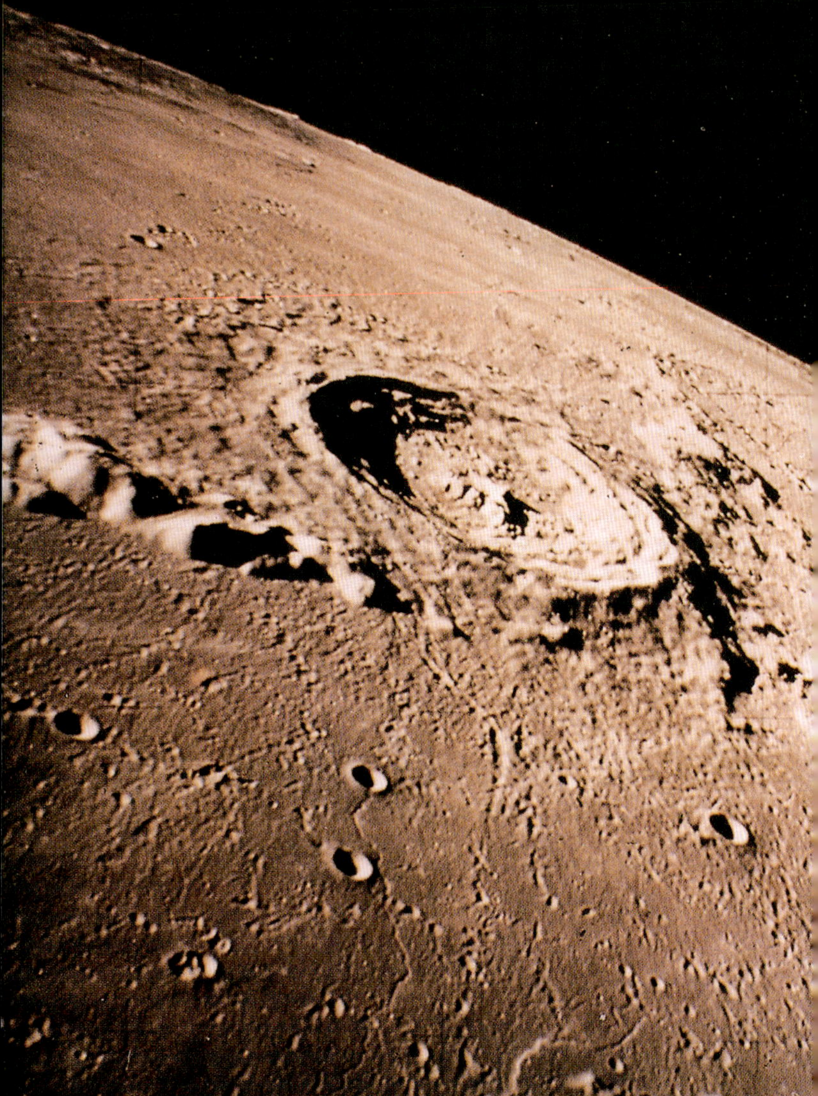

第2章 天空からのメッセージ

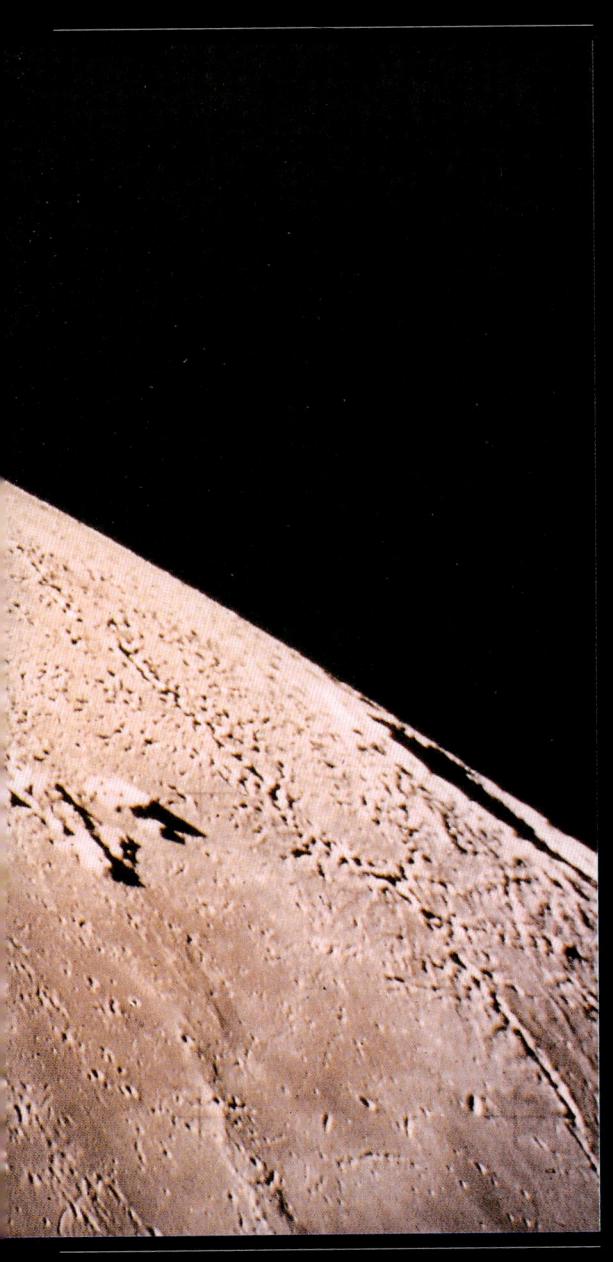

月面のクレーター

　よく晴れた夜に，倍率の低い双眼鏡で月を眺めると，斑点や陰が見える。実際には，それらはクレーターや「海」と呼ばれる，月特有の起伏である。
　左は，1969年に宇宙船アポロが撮影した衛星写真。ここにはガリレオが望遠鏡で観測し，『星界の報告』のなかで詳しく説明した事実，つまり月には山があり，その高さや大きさは少なくとも地球の山と同じくらいか，それ以上だということが記録されている。
　一方，数十キロにもおよぶものから，地球からは見えないほど小さなものまで，さまざまな規模をもつ月のクレーターは，たいていはこの写真中央のものように丸い周壁をもち，底は深くえぐれ，その中央には尖峰や山がそびえていることもある。
　こうしたクレーターは，光に照らされる角度によって，よく見えることがある。とくに昼と夜の部分の境目に近ければ近いほど，クレーターの起伏ははっきり見える（⇨ p.39図版）。しかし，たとえ大きなものでも，太陽に垂直に照らされているときには，クレーターを識別することは難しい。

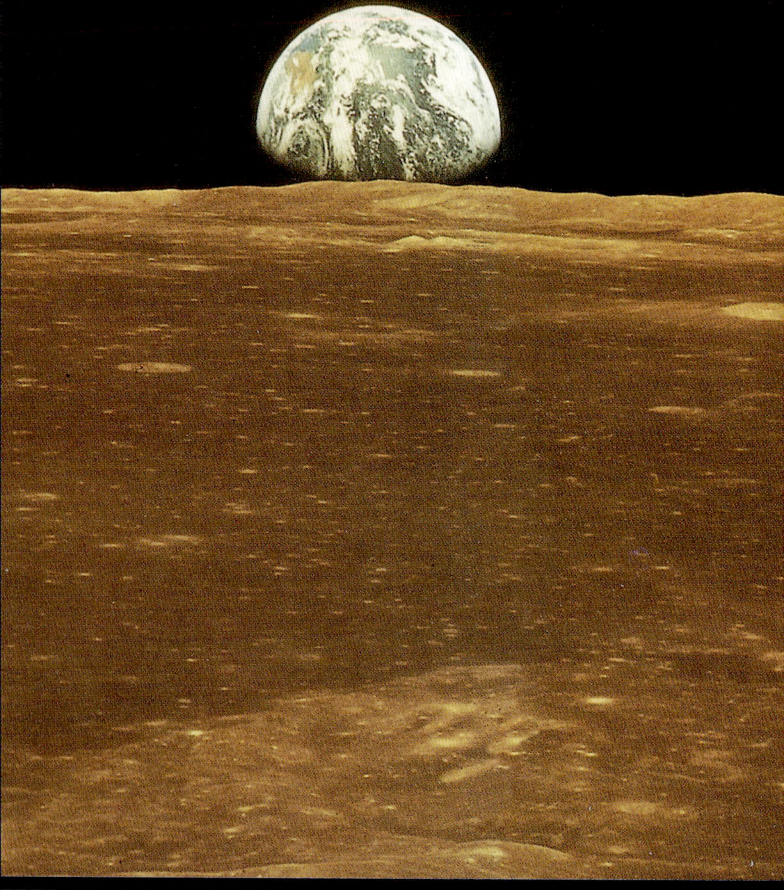

月光と地球の輝き

　右頁の写真のように，当初，地上から肉眼で月を見ていた人類は，しだいに高性能の望遠鏡を月に向けるようになり，ついにはロケットを飛ばして至近距離から月を観察するようになった。1957年以降，ソ連とアメリカの宇宙探査機が月に接近し，月のまわりをまわり，その裏側の写真を撮影した。

　1969年5月には，アポロ10号の月着陸船が，月面から15キロメートルのところまで接近し，左頁のようなとてつもない光景を撮影した。月の地平線からのぼる地球の姿である。

『天文対話』(1632年)のなかでガリレオは，なぜ地球が月よりも明るく輝くかを説明している。「月がその光で太陽の光の不足の大部分を補い，地球の夜を明るくしてくれるように，地球も月に同じことをしています。地球は太陽光線を反射し，私見ですが，月がわれわれを照らすよりもずっと強力に月を照らしています。それは，地球の表面が月の表面よりもずっと大きいため，より強力だからです」

ガリレオは望遠鏡を恒星に向けた。すると,肉眼で見える10倍以上の星が見えた!

　実際問題として,われわれは,われわれの目に感知できるだけのじゅうぶんな光を送ってくる星しか見ることができない。しかし,星の光が直径数ミリメートルの人間の瞳孔に入るかわりに,その10倍の直径がある望遠鏡のなかに入って,それがさらに拡大されれば,光の強さは100倍になる。その結果,肉眼では見えなかったたくさんの星が見えるようになるのである。ガリレオは一挙に10倍の星を発見したのだった。『星界の報告』のなかで,彼はこうのべている。「私はオリオン座全体を描くつもりだった。しかし,星の数があまりにも多いのと——500個以上ある——時間が足りないため,あきらめた」。その結果,彼はオリオン座の三つ星と肉眼で見

⇧天の川——星は宇宙のなかに均一に存在しているわけではなく,ときに数百億から数千億個もかたまって「銀河」を形成する。われわれは,われわれの銀河である天の川を,夜空を縦断する光の帯として,内側から見ることしかできない。それはわれわれが属する太陽系が,「天の川銀河」のなかに含まれているからである(写真中の赤い弧は,特殊なレンズを使ったために写りこんだもの)。

第2章 天空からのメッセージ

える8個の星に加えて、80個の星だけを描いている。また、プレアデス星団を形づくっている6つの明るい星も、それまで見えなかった40個の星が集まった雲のなかで輝いているように、彼には見えた。

しかし、彼がもっとも驚嘆したのは天の川だった。天の川には何百もの星が見えるのではなく、何千もの星が見えたのである。はるか昔から、人類は空を横切るこの淡い光の帯がなんであるかと問いつづけてきた。ところが、望遠鏡をのぞいただけで、謎は一気に解けたのである。それは、何千もの星が集まったものだった。ガリレオはこういっている。「われわれが3番目に観測したのは、天の川の本質、あるいは実体である。(略)実際、銀河は、分散した無数の星が堆積されたものにほかならない」

⇩ガリレオによる、かに座のプレセペ星雲のデッサン——「さらにもっと驚いたことに、一部の天文学者がこんにちまで星雲とよんできた星々は、見事に点在する小さな星の群れなのである」
ガリレオ
『星界の報告』

NEBVLOSA PRAESPE

5番目に製作した望遠鏡で、ガリレオはさらにすばらしい発見を行なった

ガリレオは、毎日昼間は働き、夜は観測に励んだ。彼は望遠鏡をさらに改良し、1610年のはじめには、30倍もの倍率をもつ新しい望遠鏡を完成させた。それは、ガリレオが製作した5番目の望遠鏡だった。彼はこのタイプの望遠鏡をたくさんつくり、友人や外国の科学者たちに贈ったり、さらには売ったりした。しかし、最初に完成させた5番目の望遠鏡は彼のお気に入りとなり、決して手放すことはなかった。

この望遠鏡で、彼はこのうえない発見を行なった。彼の言葉を聞こう。

「今年、つまり1610年1月7日の夜1時、望遠鏡で天体を観測していると、木星が姿をあらわした。私は本当にすばらしい望遠鏡を準備していたので、木星の近くに3つの天体、小さいがきわめて明るい天体を発見した(以前の望遠鏡はそ

047

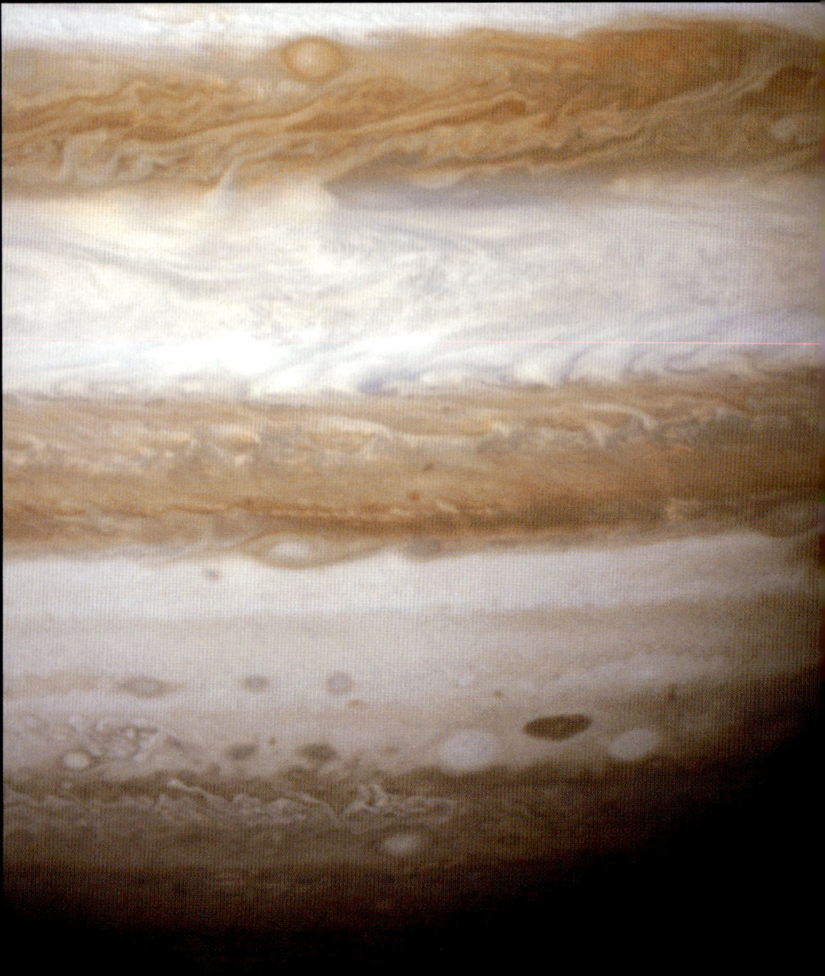

木星とガニメデ

1973年には探査機パイオニア11号が木星に接近し、1979年3月から7月にかけては探査機ヴォイジャー1号と2号が、木星に関する重要な情報をもたらした。さらにアメリカ航空宇宙局(NASA)の15年以上にわたる計画ののち、1989年10月18日に探査機ガリレオが打ちあげられた。

木星を観測するために特別に設計されたガリレオは、ふたつの部分で構成されていた。メインの探査機と、大気圏突入観測機で、観測機は1995年12月7日に大気圏に突入した。もっとも印象的な観測は、おそらくシューメーカー・レヴィ第9彗星が木星に衝突したときのものだろう。衝突(1994年7月22日)に先立つ数日間、観測機はその様子を中継した。

その後、2000年10月から2001年2月にかけて木星は、土星に向かう途中の探査機カッシーニによっても観測された(カッシーニは最新の機器を備えていた。左の写真は、カッシーニが撮影した木星とその衛星であるガニメデ)。

こうして大きな成果をあげたガリレオだったが、最後は木星の衛星エウロパに落下して、地下海を汚染することを避けるため、2003年9月21日に破壊された。

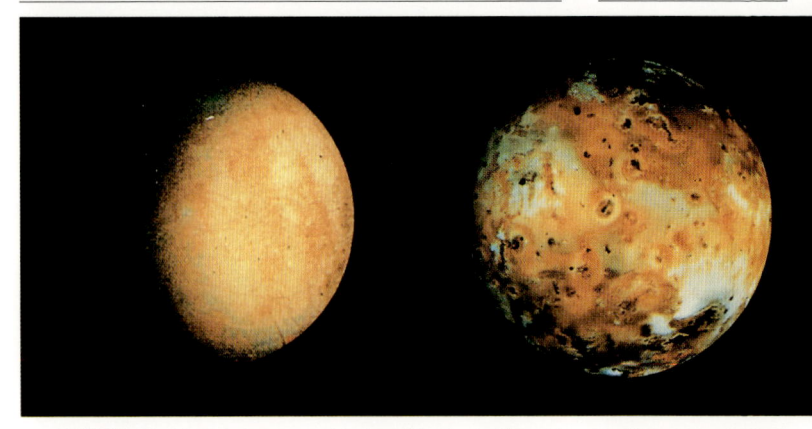

れほど性能がよくなかったので，それまで私はその天体に気づかなかったのである）。（略）

　木星に対するそれらの配置は，次のようであった。

東　✷ ✲ ○ ✲　西

1月8日に同じ観測を行なうと，配置が異なっていた。

東　○ ✲ ✷ ✷　西

「3つの小さな天体はみな，木星の西にあったのである」

　ガリレオははじめ，この3つの「小さく明るい天体」は恒星で（彼は毎晩，何百個もの恒星を発見していた），木星がその前を移動しているのだと考えた。惑星が恒星の前を移動すること自体は，不思議でもなんでもない。しかし，この年のこの時期には，木星は逆方向へ動くはずだったのである。

　翌日は，曇天で観測ができなかった。そして1月10日には，

東　✷ ✲ ○　西

となっていた。

　木星が急に方向を変えることは，考えられない。だから，あきらかに小さな天体のほうが動いているのである！　つまり，これらの天体は恒星ではない。木星のまわりをまわって

◁ガリレオによる，木星とその衛星の位置を示したデッサン——双眼鏡を使うと，ガリレオが見たのと同じく，木星の衛星が小さな点として見える。大きな望遠鏡を使うと，点ではなく，小さいが明るい球体として見える。

　1979年に，探査機ヴォイジャーは木星の衛星を撮影した。直径3100キロのエウロパ（左上）は，4つの衛星のうちで一番小さく，全太陽系のなかでもっとも凹凸がなく，ビリヤードの球のような完全な球体をしている。クレーターがないのは，表面が厚い氷の層でおおわれているからだと考えられている（隕石の衝突によって氷がとけたあと，その穴を水がふさぎ，ふたたび凍った場所が所々に存在する）。ガリレオの観測によって，エウロパには地下に広大な海があることがわかった。

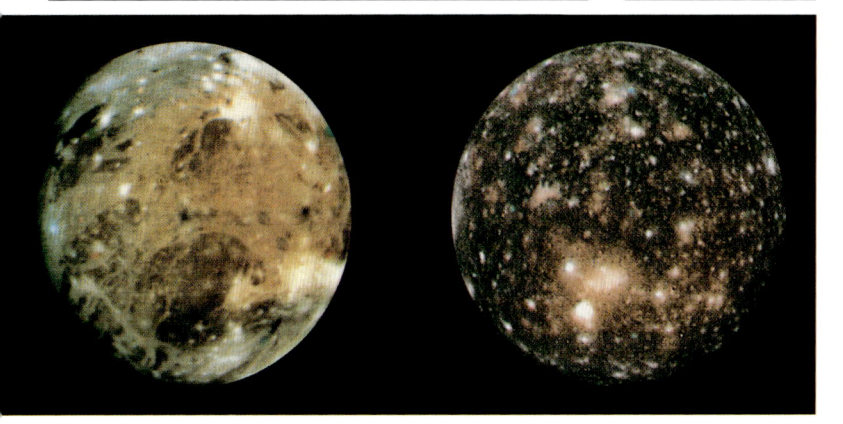

いる衛星なのだ（ガリレオの時代にはまだ「衛星」という言葉がなく、彼はそれらを「惑星」とよんでいたが）。この日、3つ目の小さな天体は見えなかった。おそらく木星の陰に隠れているのだろうとガリレオは考えた。

　数日後、ガリレオは木星のまわりをまわっている衛星が3つではなく、4つあることを知った。彼はこの4つの天体を夢中になって観測し、これらが木星の運動に従って動いていることをあきらかにした。

　ところで、コペルニクス説に反対する人びとは、もし地球が太陽のまわりをまわっているならば、月が地球の運動に従って動いているはずがないと反論していた。それに対して、ガリレオはこう答えている。「ある惑星が別の惑星のまわりをまわり、かつその全体が大きな軌道で太陽のまわりをまわっている例は、もはやひとつだけではなくなった。われわれは自分の目で、月が地球のまわりをまわるように、4つの天体が木星のまわりをまわっているのを見た。そしてその全体は、12年の公転周期で太陽のまわりをまわっている」

　ガリレオにとっては当然のことながら、「自分の目で見る」ことはなによりの証明だった。しかしこのときはまだ、彼は反対する人びとに自分の目で見させることが、どれほど大変か、まだわかっていなかったのである。

⇧木星の衛星──イオ（左頁右上）は直径3640キロメートルで、木星に一番近く、4つの衛星のうちでもっとも驚くべき天体である。月とほぼ同じ大きさだが、赤、黄色、黒の球体で、多くの火山があり、少なくともそのうちの8つが活火山で、300キロ上空まで溶岩と火山灰を噴出している。直径5000キロのガニメデ（上左）と直径4850キロのカリスト（上右）は、それよりもかなり大きいが、表面はやはり月のように穴だらけである。

SIDEREVS
NVNCIVS

MAGNA, LONGEQVE ADMIRABILIA
Spectacula pandens, suspiciendaque proponens
vnicuique, præsertim verò

PHILOSOPHIS, atq; ASTRONOMIS, quæ à

GALILEO GALILEO
PATRITIO FLORENTINO
Patauini Gymnasij Publico Mathematico

PERSPICILLI

Nuper à se reperti beneficio sunt obseruata in LVNÆ FACIE, FIXIS IN-
NVMERIS, LACTEO CIRCVLO, STELLIS NEBVLOSIS,
Apprime verò in

QVATVOR PLANETIS
Circa IOVIS Stellam disparibus interuallis, atque periodis, celeri-
tate mirabili circumuolutis; quos, nemini in hanc vsque
diem cognitos, nouissimè Author depræ-
hendit primus; atque

MEDICEA SIDERA
NVNCVPANDOS DECREVIT.

VENETIIS, Apud Thomam Baglionum. M DC X.

❖ 『星界の報告』は1610年3月12日に出版され，またたくまに驚くべき成功を収めた。印刷された500部が，数日間で売りきれてしまったのである。そしてすぐにヨーロッパ中が，ガリレオの話，望遠鏡の話，月の山の話，ガリレオがメディチ星と名づけた4つの新しい星の話でもちきりになった。……………………………………………………………………………………

第 3 章

フィレンツェでの勝利

〔左頁〕『星界の報告』の口絵
⇨コジモ2世の肖像──1609年から21年までトスカナ大公だったコジモ2世・デ・メディチは，少年時代にガリレオから勉強を教わっていた。
　1621年に31歳の若さで亡くなるまで，彼はガリレオのパトロン兼友人でありつづけた。コジモ2世が学問と芸術に関心があることを知っていたガリレオは，『星界の報告』のなかで発表した発見をメディチ家に捧げている。

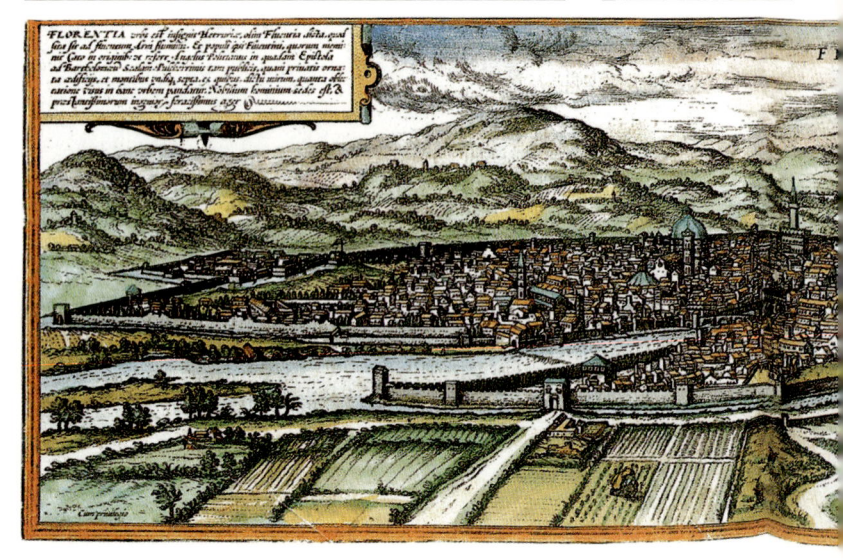

ガリレオは，自分が発見した星が，すんなり保守的な学者たちの支持を得られるとは思っていなかった。だが当初は，反対派の人びととの行動は慎重なものだった。ガリレオの発見した木星の4つの衛星が，トスカナ大公であるコジモ2世・デ・メディチに捧げられ，メディチ星と名づけられている以上，それを非難することは，すなわちメディチ家を非難することになるからである。

　そうした政治的思惑以外にも，メディチ星と名づけたことで，ガリレオは自分の説にいかに自信があるかを明確に宣言している。もし少しでも不確かな点があるとすれば，メディチ家の名前をつけるはずがない。これは反論者たちに対するガリレオの意図的なメッセージでもあった。

　同時にガリレオは，以前からの夢を実現したいとも考えていた。それはトスカナ大公に，フィレンツェの宮廷数学者としてむかえてもらいたいという夢である。ガリレオはヴェネツィアを離れたかった。というよりはむしろ，パドヴァとパドヴァ大学を離れたかった。

⇧フィレンツェの眺め——フィレンツェは，アルノ川の谷間の低地に建設された都市で，トスカナではめずらしく平坦な土地にある。当時の人びとは，この町を湿度が高くて不衛生だと考えており，裕福な人びとは近郊の丘の上に住んでいた。ガリレオの家も，フィレンツェの街中から歩いて1時間ほどのアルチェトリにあった。

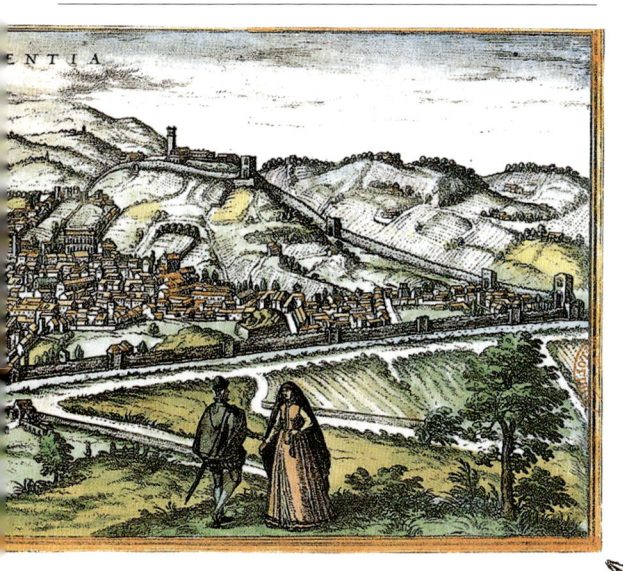

⇩メディチ星をあしらったメディチ家の紋章——ガリレオはトスカナ大公コジモ2世に対する敬意をあらわすために，木星の4つの衛星を「メディチ星」と名づけた。17世紀にメディチ家の保護下で出版された本には，それをメディチ家の家紋（6つの丸薬）と組み合わせたこのような紋章が印刷されていた。

　彼は20年前からパドヴァ大学で教鞭をとっていたが，時間に縛られる生活をそろそろやめたかったのである。もう個人授業はしなくてもよくなっていたが，望遠鏡を製作したり，夜間に観測を行なったり，数々の新しい発見を文章にまとめたりするためには，とにかく時間が必要だった。

　だが数ヵ月前に大勝利を収めたばかりのヴェネツィアを去ろうとする理由は，おそらくこれだけではない。ガリレオには，フィレンツェに戻りたいもっと大きな理由があった。簡単にいえば，彼はホームシックにかかっていたのである。

■ガリレオは，20年ものあいだ離れていた故郷トスカナが恋しかった

　1610年のイタリアは，もちろん現在のような姿ではなかった。ヴェネツィア共和国，ミラノ公国，トスカナ大公国，教皇領，ナポリ王国というように，いくつもの国に分割され，それぞれがかなり異なる統治機構を保持していた。

ガリレオは、トスカナの出身だった。彼はトスカナの都市ピサで生まれたが、彼の家族はトスカナの中心都市フィレンツェの人間で、ガリレオは少年時代をフィレンツェで過ごしている。また彼は、『星界の報告』でもコンパスの使用法を書いた小冊子でも、最初のページに記した自分の名前に、「フィレンツェの貴族」という肩書きを添えている。

　ヴェネツィアとフィレンツェでは、人びとが話す言葉こそほぼ同じだったが、ふたつの都市の雰囲気は非常に異なっていた。ガリレオは20年近くも前からフィレンツェへ戻りたかったのだが、今回の発見がそのチャンスをあたえてくれるかもしれなかった。そこで復活祭の休日に彼はトスカナへ行き、4つの惑星を宮廷で披露することにした。

　実演は大学の教授たちが見守るなか、ピサで行なわれた。コジモ2世の側近や宮廷人たちはみな、熱狂した。彼らは惑星にも、望遠鏡にも、それを考案したガリレオにも満足した。しかし、教授たちは当然のことながらガリレオの説に批判的で、もっとも影響力のあった教授のリブリは、望遠鏡をのぞくことさえ拒否した。数ヵ月後、彼が亡くなったとき、ガリレオは皮肉をこめてこうのべている。地上にいるときに星を見ることを拒んだ彼は、天国へ行く途中にそれらを見るかもしれないと。

　パドヴァへ帰ると、ガリレオは木星の衛星に関する講義を3度行ない、大成功を収めた。しかし彼はすでに、フィレンツェに戻る決心をしていた。ピサを訪れたとき、彼はトスカナ大公国の大臣ヴィンタの意向を探ったが、いまやフィレンツェにむかえいれてもらうことを正式に要請したのである。

　ガリレオの友人たちは、彼がフィレンツェへ戻ることを心から心配した。

⇧斜面の実験──ピサ大学で、ガリレオは斜面の実験を行なった。下は18世紀の実験用斜面。ガリレオが使ったものと、それほどの違いはない。

第3章 フィレンツェでの勝利

彼らはガリレオが、いずれ教会当局と衝突することになると予測していた。そして当時のイタリアでローマ教皇に対抗できるのはヴェネツィア共和国だけだったため、ガリレオがヴェネツィアを離れることは危険だと考えたのである。友人のサグレドは、ガリレオへの手紙にこう書いている。「イエズス会修道士の仲間たちが絶大な権力を行使している場所にあなたがいると知って、私は大変心配しています」

しかし慎重な行動の必要よりも、故郷に帰りたい思いのほうが強かった。ガリレオは1610年7月にトスカナ大公国での地位を得ると、9月にはフィレンツェに引っ越したのだった。

「長さ6メートル、幅25センチ、厚さ6センチの木の定規か角材に、幅2センチほどのまっすぐな溝を彫りました。できるだけすべりやすくするため、よくつやを出した羊皮紙を貼ったあと、非常にかたく完全に丸く磨かれた青銅の球を、その溝に転がしました」(『新科学対話』)

こうしてガリレオは、アリストテレス物理学の予想とは異なり、傾斜にかかわらず球の通過距離が時間の2乗に比例することを証明した。

■『星界の報告』の出版後、ガリレオの敵対者たちは結集した

前述の手紙のなかで、友人のサグレドはガリレオが置か

057

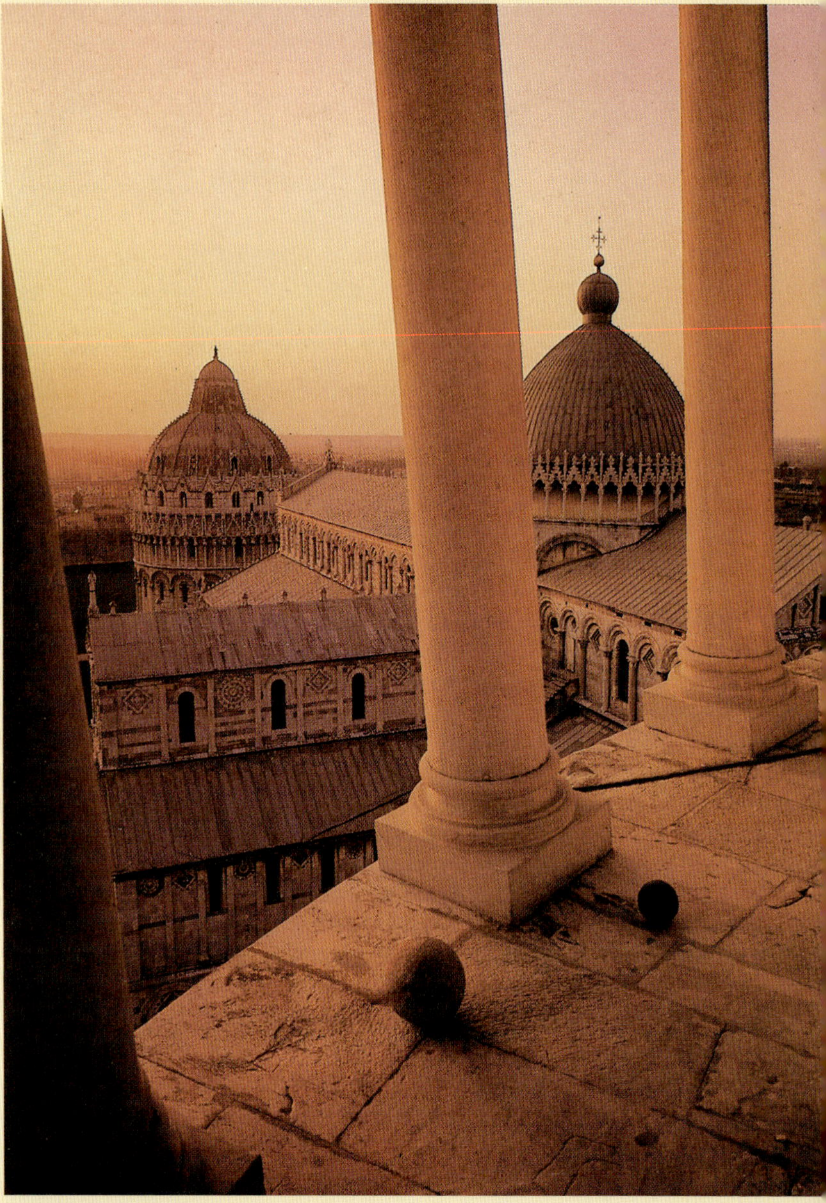

第3章 フィレンツェでの勝利

ピサでのガリレオ

　ガリレオの生涯は、大きくピサ時代、パドヴァ時代、フィレンツェ時代にわけることができる。どの都市にも、彼は多くの思い出を残している。

　まずピサは、1564年にガリレオが、あまり裕福ではない小貴族の息子として生まれた町である。父は教養あるすぐれた音楽家だったが、織物の商売で生計をたてていた。ガリレオは当初ピサ大学医学部に入学したが、ガリレイ家の友人で数学者のリッチの授業に出席したとき、自分が本当になりたい職業に気づいた。リッチは、ルネサンス期イタリアの著名な数学者で数学を技術に応用しようと考えたタルターリアの弟子だった。

　ガリレオが有名な実験を行なったのも、ピサでのことである。教授の一団が通りかかるとき、斜塔の上から大小の石の球を落とし、大きい球がより早く落ちるわけではないことを証明したと伝えられている。

　左頁は、ピサの斜塔の頂上からの眺め。右頁は、ピサの斜塔を屋内から見た光景。

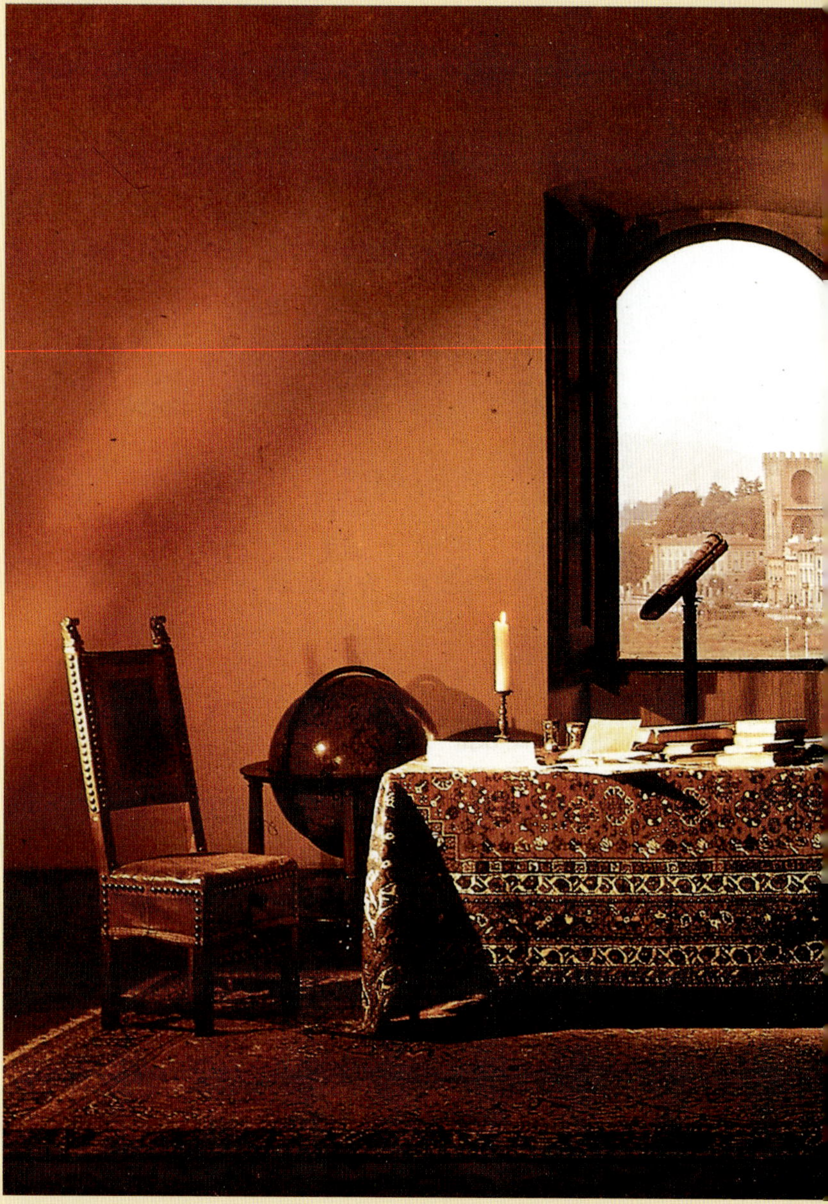

第3章 フィレンツェでの勝利

フィレンツェでのガリレオ

1610年11月1日に、ガリレオはパドヴァからフィレンツェに移住し、それから生涯最後の30年間をこの町で過ごすことになった。

友人のサグレドは出張先から帰ると、ガリレオがパドヴァを去ったことを知り、予言的な手紙を書き送った。

「ヴェネツィアにおけるような自由を、どこで見つけることができるでしょうか。あなたはいま、気高い故郷にいらっしゃる。しかし、なにひとつ不自由のなかった場所を、あなたは去られたのです。現在あなたは、生国〔ガリレオの生誕当時、ピサはトスカナ大公国の前身であるフィレンツェ大公国領だった〕の君主に仕えていらっしゃいます。徳が高く、若くてたぐいまれな長所をもつ、偉大なる君主に。しかし、悪意と羨望に満ちた人びとの中傷に力を借りた出来事が、なにかとんでもないことを引きおこしてしまう可能性もあります」

この言葉どおり、ガリレオはフィレンツェで、歴史上あまりにも有名な裁判によって、大きな苦難を味わうことになる。

左は、フィレンツェ郊外のアルチェトリの家にあったガリレオの部屋。この家は、いまでも見学することができる。

れた立場について正しくとらえている。「大公の権力と寛大さを考えれば，あなたの献身と功績が評価される可能性はおおいにあります。しかし宮廷という名の荒海においては，（略）ねたみによるすさまじい突風によって，激しく揺さぶられる危険がないとは断言できません」

事実，ねたみによる最初の「突風」は，ガリレオがまだフィレンツェに完全に身を落ちつける前の1610年夏に，早くも吹きはじめた。しかし，おもだった敵たちは十分な口実を見つけることができなかったため，ガリレオに敵対してきたのは，いわゆる端役たちだった。

たとえばガリレオには，ボローニャ大学の教授マジーニという古くからの敵がいた。しかし攻撃してきたのはマジーニではなく，彼の助手を務めていたホーキーという人物だった。ホーキーはすでに6月に，ガリレオを中傷する小冊子を出版していた。そこでは，ガリレオの発見がまちがいである論拠が次のように示されている。占星術師たちが天空を動くすべての星を考慮に入れた十二宮図をすでに使っているのだから，もしメディチ星というものが存在するとしても，それはなんの役にも立たない。しかし，存在するものはみな，なにかの役に立っている。だから，メディチ星などというものは存在しないというのである。

ホーキーの稚拙な論拠は，ふたつの点で興味深い。ガリレオの敵たちが経験よりも観念的な理屈のほうを信用していたという点と，天空は人間に神々のメッセージを伝えるため

⇩ピサ大学のラ・サピエンツァ館の中庭——ピサ大学は，「ロレンツォ・イル・マニーフィコ」とあだ名されたメディチ家全盛期の当主ロレンツォ・デ・メディチ（1449〜92年）によって設立された。彼はフィレンツェの上流階級の若者たちを教育するため，ピサ大学に当時の著名な人物を招いた。政治思想家マキャヴェッリも，メディチ家の年代記作者として，ピサ大学で教鞭をとっている。

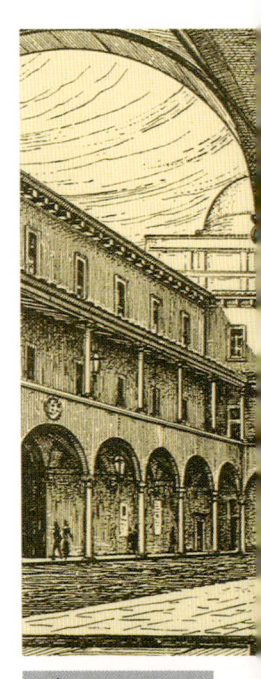

のものでしかないという非常に古い考え方が、あいかわらず主流だったという点である。だがマジーニはホーキーのあまりの稚拙さに激怒し、即刻彼を解雇した。

　8月には、フィレンツェ人のシッツィからの攻撃があったが、これは実際にはピサ大学の教授たちからの攻撃だった。ここでもまた、驚くべき論拠が示されている。木星には、衛星など存在するはずがない。なぜなら、天空には動く天体が7つ（肉眼で見える太陽と月と5つの惑星）しかないはずだからだ。キリスト教の7つの大罪、1週間は7日であること、世界の7不思議、エジプトの7つの災いと同じく、天体も7である必要があると

〔左頁左上〕ジョヴァンニ・マジーニの肖像―ボローニャ大学の数学教授だったマジーニは、ガリレオがいる前で新しいメディチ星を望遠鏡で観測するため、何人かの同僚たちを招いた。奇妙なことに、ガリレオの助けがあっても彼らはみな、メディチ星を識別することができなかった。その後マジーニは助手のホーキーに、ガリレオに反対する小冊子（⇧）を書かせている。

いうのである。

一方,望遠鏡に関しては,ガリレオの敵たちによるとそれは人をあざむくものでしかなかった。なぜなら,アリストテレスをはじめとする古代の人びとが,望遠鏡について語っていないからだという。しかし,もしガリレオの敵たちが優秀な頭脳をもっていたなら,彼らはガリレオがつくったものよりすぐれた望遠鏡をすでに所有していたはずである。

そういうわけで,望遠鏡をのぞくことを承諾した教授たちは,そのなかに錯覚が見えると主張した。それに対してガリレオは,なぜその「錯覚」は木星のまわりにしか見えないのかと反論した。

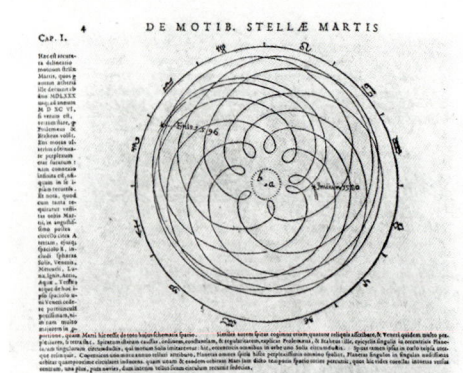

ガリレオは,自分が高く評価していた天文学者たちを納得させようとした

ガリレオは,こうしたつまらない敵たちにかかわりあうのをやめた。彼には自分の発見を報告したり納得させるべき,もっと興味深い文通相手がいたからである。

その筆頭がドイツの天文学者ケプラーで,ガリレオは彼に出版後すぐに『星界の報告』を送り,意見を求めている。ケプラ

ケプラーの肖像——ガリレオより7年後に生まれたヨハネス・ケプラーは,デンマークの天文学者ティコ・ブラーエの助手をつとめたのち,1609年に執筆した『新天文学』によって,惑星の運動法則を導きだした(これは,のちにニュートンの理論の基礎となる)。この本のなかでケプラーは,1580年から96年にかけての,太陽のまわりをまわる火星の動きを示している(↑)。

ーは，熱烈な賛辞をこめた返事をすぐに書き送ってきた。そのなかで彼は，『星界の報告』が大反響をよびおこしていたことを示すエピソードを記している。

「友人のヴァッヘンフェルス男爵が私の家の前に馬車を止めて，馬車からおりるのももどかしくこう叫びました。『本当かね？ 彼が星のまわりをまわる星を発見したというのは，本当なのかね？』」

まもなくケプラーはガリレオへの賛辞を公表したが，彼自身，木星の衛星の存在を確信していたわけではなかった。しかしガリレオから望遠鏡を送ってもらったことで，ケプラーは自分の目で衛星を見ることができた。ケプラーは，1610年8月には早くも木星に衛星が存在することを認めている。

このように，ケプラーとの関係は非常にうまくいった。しかし，彼はもともとコペルニクス説の支持者だった。ガリレオがどうしても味方につけたかったのは，クラヴィウスだった。イエズス会修道士でローマ教皇の主席天文官クラヴィウスは，イタリアでもっとも信頼されている学者だった。彼はガリレオの発見を嘲笑し，望遠鏡のなかにはじめから入れておかないかぎり，望遠鏡で4つの惑星を見ることなどできないと公言していた。

このクラヴィウスこそ，ガリレオがどうしても味方につけねばならない人物だった。だがガリレオは，それが可能であることを確信していた。クラヴィウスはきわめて誠実な人物だったので，実際に望遠鏡で木星の惑星や月の山々を見れば，それを素直に認めるはずだとわかっていたからである。幸いにも，12月にガリレオが金星の満ち欠けの観測を終えたとき，

⇩クリストファー・クラヴィウスの肖像——カトリック教会が，プロテスタント教会の出現と伝統的な知の体系の崩壊にさらされていた1540年，海外での布教を目的とするイエズス会が創設され，エリート層を対象に活発な教育活動を行なった。

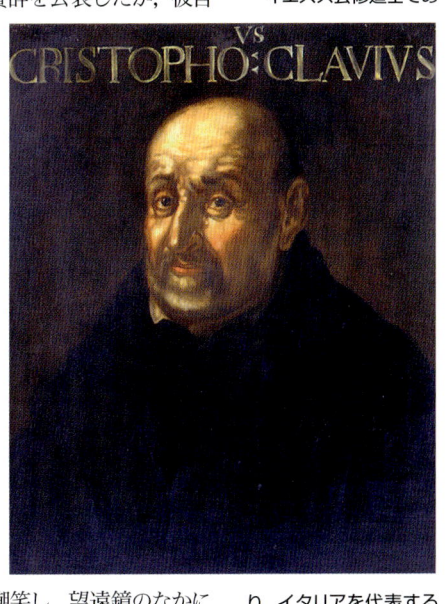

イエズス会修道士であり，イタリアを代表する学者だったクラヴィウスは，1578年に暦の改定作業をローマ教皇から命じられ，それまでの暦から10日を削った。だが，善良な民衆から10日間を奪ったという理由で，プロテスタント教国のドイツでは教皇庁に対する激しい暴動が起こった。

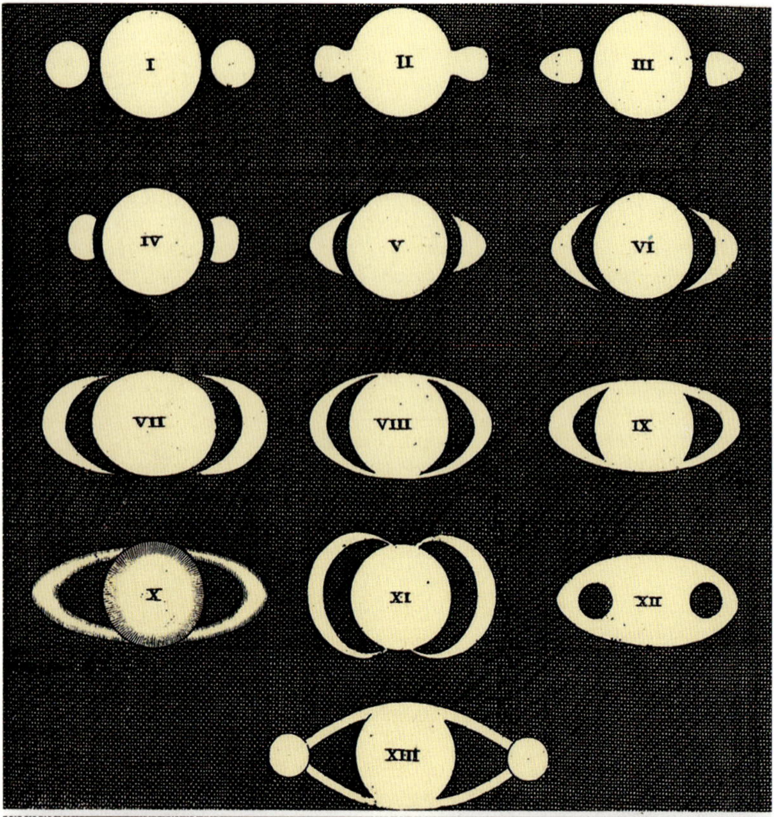
I
II
III
IV
V
VI
VII
VIII
IX
X
XI
XII
XIII

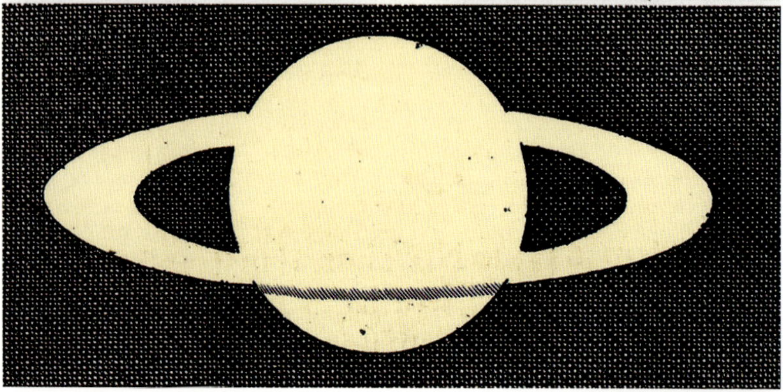

彼の指示に従って望遠鏡をのぞいたクラヴィウスが、ついに木星の衛星を見ることに成功したという知らせが届いた。

望遠鏡は，さらにふたつの発見をガリレオにもたらした

それまでの発見を人びとに伝える一方で，ガリレオはさらなる観測をつづけた。その結果，彼は土星が奇妙な形をしていることに気づいた。

彼ははじめ，土星の両側に見えるふたつの斑点が，木星の衛星よりも大きく近い場所にある，土星の衛星だと考えた。しかし，それらはあきらかに土星のまわりをまわってはいなかった。それからすぐあとに，それらはしばらくのあいだ見えなくなってしまったが，その後ふたたび姿をあらわした。結局それは現在では，土星の環だったことがわかっている。ガリレオの望遠鏡は，土星の環を見わけられるほど性能がよくなかったのである。

土星に関してはまちがったものの，ガリレオは金星についてはきわめて重要な事実を発見した。彼はそれが確実であることがはっきりする前には発表しないことにしたが，ほかの人間にこの発見を横どりされてしまうことを恐れて，1610年9月に少々奇妙なラテン語の文章をケプラーに送っておいた。

この文章はアナグラム，つまり語句のつづりをもとの順序に並びかえるときちんとした意味になる暗号文だった。アナグラムを使うことで，ガリレオは自分の発見がまちがいであった場合にはおかしな発表をせずに済むが，自分の発見が正しかった場合には，アナグラムの意味をあきらかにして，優先権を主張できるというわけである。

金星に関するガリレオの発見は，まちがいではなかった。そこで1610年12月に，ガリレオはケプラーにアナグラムの解読法を教えた。アナグラムを解読すると，「愛の神々の母は，ディアナの姿をまねる」という文章になる。愛の神々の母とはヴィーナス，つまり金星のことであり，ディアナは月の女神

⇩クリスチャン・ホイヘンス
〔左頁〕ホイヘンスの著書に収録された版画──オランダの物理学者・天文学者・数学者だったホイヘンスは，1656年にはじめて実用に耐えうる振り子時計を考案した。また彼は，ガリレオによる観測結果から，土星には環があることを結論づけ，この発見を1659年に著書『土星の体系』のなかで発表した。左頁は，その本に収められた版画。上はガリレオのデッサンで，下がホイヘンス自身が考えた土星の姿である。

彼は1666年の科学アカデミー設立時に，フランスの宰相コルベールからパリに招かれ，科学アカデミーで光の理論を研究しているが，その研究を発表したのは，ナントの勅令（プロテスタントに信仰の自由を認めた勅令）が廃止されたため，オランダに帰国を余儀なくされてからのことである。

であることから、月をさした。

つまりガリレオのアナグラムは、金星には月と同じく満ち欠けがあるといっていたのである。これはきわめて重要な発見だった。金星に月と同じ形の満ち欠けがあるということは、金星が太陽のうしろに位置するときも、前に位置するときもあるということを意味しているからである。

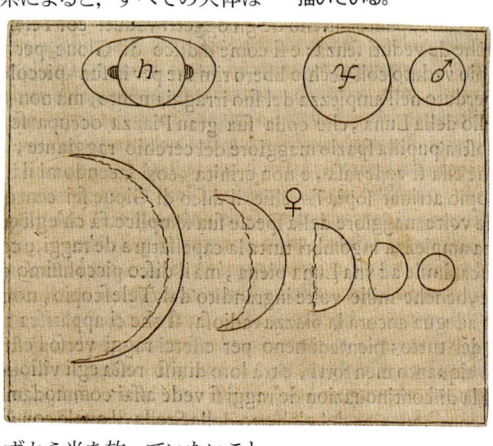

⇩ガリレオによる金星の観測――『星界の報告』に月のデッサンを収めたように、ガリレオは『偽金鑑識官』のなかに、自分が観測した金星の姿を描いている。

金星は、コペルニクス説が正しいという決定的な証拠をもたらした

古くからのプトレマイオス体系によると、すべての天体は地球のまわりをまわっており、それぞれの天体の軌道は交わらないとされていた。その場合、金星が太陽のうしろにいったり前に来たりすることはありえない。つまり、金星に月と同じ形の満ち欠けを発見したことで、プトレマイオス体系を決定的に否定するための証拠が見つかったのだった。

この観測によって、金星がみずから光を放っていないこともわかった。月や地球と同じく、金星には太陽によって照らされる面と、暗い面がある。つまり太陽だけが特別な役割（光を放つ）を担っていて、ほかの惑星はすべて地球と同じ存在だというコペルニクスの主張が正しいことになる。

ガリレオはすでに、月が地球に似ていることを指摘していた。そしていま、彼は金星が月に似ていることをあきらかにしたのである。さらに友人への手紙のなかで、彼はおもしろいことをいっている。望遠鏡をさかさまにして月を見ると、金星のように光る点として見えるというのである。

この発見は、おそらく当時の天文学者たちにとってより重

要な，別の側面ももっていた。コペルニクス説によると，地球と金星の間の距離はさまざまに変化するため，地球からの金星の見かけの大きさもかなり異なるはずである。ところが肉眼では，金星はつねに光の点にしか見えず，その輝きはたしかに変化するのだが，金星が地球に近づいていると考えるには変化が少ない。この事実は，コペルニクス説に対する強力な反論の証拠だった。

しかし，ガリレオの望遠鏡で見ると，金星の大きさはコペルニクスが主張したように，かなりさまざまに変化する。そして形もかなり変化するのだが，輝きはそれほど変わらない。それは，見かけ上の金星が一番大きいときは，もっとも欠けたときであり，光の量がそれほど変わらないからである。

そのころ，彼はローマ教皇の主席天文官のクラヴィウスからローマに招待された。クラヴィウスはようやく望遠鏡での観測に成功し，『星界の報告』でガリレオが語った発見の信憑性を認めたのである。その冬の終わりに，ガリレオは望遠

⇦金星の変化（合成写真）──地球から見た金星の満ち欠けについてのガリレオの解釈は，コペルニクスの理論を裏づけるものだった。19世紀にフランスの天文学者カミーユ・フラマリオンは，著書『通俗天文学』のなかで，太陽のまわりをまわる金星の位置と地球から見た大きさや形を示した図を使って，ガリレオの解釈を説明している（⇩）。

地動説では，地球から見て金星が太陽の向こう側にあるときには丸く小さく見え（下の図の中央下），地球に近づくにつれてしだいに大きく，欠けた形に見える。地球を宇宙の中心にすえる天動説では，金星が太陽の向こう側にまわりこむことはないため，完全な円形（月でいう「満月」の形：下の図の中央下）に見えることはありえない。

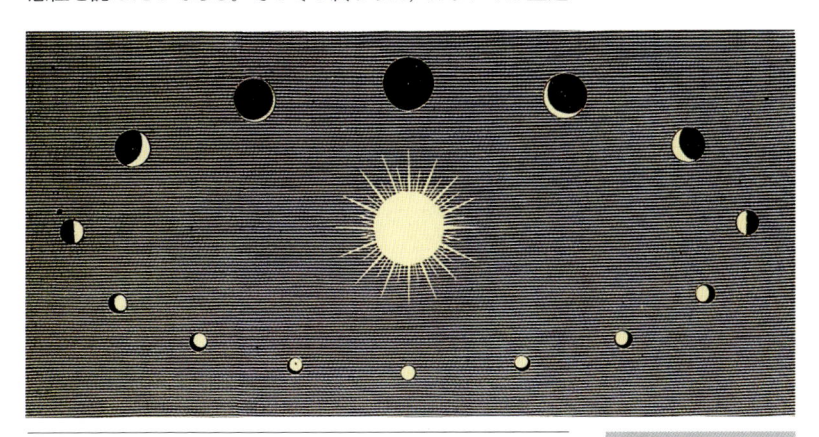

鏡を携えてローマへ向かった。

1ヵ月のあいだ，ガリレオは郊外の豪華な宮殿で，枢機卿や君主たちの賓客となった

ローマでガリレオは，天文学者やクラヴィウスと彼の仲間であるイエズス会修道士たちから，熱狂的な歓迎を受けた。彼らは『星界の報告』に記されたガリレオの発見を認め，いまでは金星の満ち欠けについて驚嘆していた。1611年4月19日に，カトリック教会随一の神学者ベラルミーノ枢機卿は，クラヴィウスに対してガリレオの観測に関するローマ学院（イエズス会の学術研究所）の意見を公式に求めた。クラヴィウスは枢機卿に，ガリレオの観測はすべて立証されたと報告したが，当然のことながら，そこからなにひとつ結論を導きだすことはしなかった。

こうしてガリレオの発見は，天文学的にも宗教的にも，当時の偉大な権威者から認められることになった。ローマ教皇パウルス5世はガリレオを私的に謁見したときに，しきたりに反して彼をひざまずいたままにさせないほど，手厚くもてなした。数週間後，ローマ学院はガリレオ臨席のもと，ガリレオの発見を正式に祝った。

同じころ，ガリレオはローマの知識人のなかでもとくに有名だったチェシ公爵と出会った。チェシ公爵は自分が創設したアカデミア・デイ・リンチェイという協会の6番目の会員になってくれるよう，ガリレオに頼んだ。当時のこうした協会は，自然科学に関心のある人びとを会員として集めていたが，大学とはまったく関係のない組織で，独立性を示すために冗談めいた架空の名を名のることが多かった。アカデミア・

〔右頁〕ローマのサン・ピエトロ大聖堂でのミサ──教皇領の政治的中心地であると同時に，カトリック教会の総本山でもあったローマは，ガリレオの時代にはカトリック教会と君主たちが贅を競うきわめて豊かな都市だった。ローマ社会の輝かしい一員だったチェシ公爵（左下）は，1603年にアカデミア・デイ・リンチェイを創設した。

アカデミア・デイ・リンチェイの紋章（⇧）は，この協会の会員となったあと，ガリレオのすべての著書の本扉にしるされることになる。協会は，会員たちが科学的なものだけではなく，哲学的・文学的な情報や意見も交換しあうことを認めていた。また会員たちは，万一の場合，権力に対抗してたがいに支援しあう義務を負っていた。

070

第3章 フィレンツェでの勝利

デイ・リンチェイのリンチェイとは，眼光の鋭さで知られるオオヤマネコのことである。

ガリレオはこの申し出を喜び，すぐに承諾した。彼はこの協会で，おそらく当時，彼の思想をもっとも理解し擁護することのできた人びとと文通をする機会を見いだすことになる。以後，ガリレオはつねに著書の表紙で自分の名前に「アカデミア・デイ・リンチェイ会員」という肩書を添え，協会の紋章をしるすことになる。6月の太陽のもと，彼はすっかり満足してフィレンツェへ戻った。

ちょうどそのとき，ベラルミーノ枢機卿が異端審問所に，ガリレオに関する秘密の報告書を求めていたことをガリレオは知らなかった。異端審問所は，11年前にローマで哲学者ジョルダーノ・ブルーノを，太陽のような天体がほかにも存在し，それらのまわりを惑星がまわっていると主張したことを理由に，火刑に処した組織である。このときの裁判の責任者は，こともあろうに，このベラルミーノ枢機卿だった。

「浮体論争」を通じて，ガリレオは一見危険がないような分野で，まもなく正真正銘の敵となる人びとと対峙した

ガリレオがローマで勝利を収めたのち，彼の敵たちはすっかり落胆するどころか，あらたな計画を立てた。天文学的発見についてガリレオを攻撃するためには時期が悪いと考えた彼らは，別の分野でガリレオを挑発しようと考えた。

いくつかの理由から，この論争は注目に値する。まず，これから話を進めていくうえで重要な人物が，何人もこの論争に登場する。そしてこの論争においては，ガリレオとアリストテレスの支持者たちとの対立が，天文学の分野をはるかに超えていることがわかる。この論争では水に浮く物体というなんの危険性もないようなテーマで，2種類の論拠と証明が

⬇17世紀のガラス製の水てんびん――これは，ガリレオが使ったものと同じタイプのてんびんである。さおの片方の端にはガラス製の球がさげられ，そこに比重を測りたい液体が入れられた。もう片方の端には，液体と同じ重さの水晶を入れた容器がさげられた。左右のバランスがとれるまで水晶の数が増やされて，その数で液体の比重が測定された。

示されているからである。

　1611年9月のある暑い日，ガリレオはピサ大学の教授たちと一緒に，トスカナ大公のもとで昼食をとっていた。教授たちのなかには，学長のデルチやルドヴィコ・デレ・コロンベなどがいた。コロンベはおそらく新しい思想をもっとも執拗に敵視していた人物で，このときすでに手書きの本のなかでガリレオを批判していた。また招待客のなかには枢機卿もふたりいて，そのうちのひとりがその春にローマでガリレオの天文学に関する実演を見たマッフェオ・バルベリーニだった。

　おそらく暑さのために，会話は氷の話題になり，水に浮かぶという氷の驚くべき特性にまで話が進んだ。するとすぐにコロンベと彼の同僚たちは，アリストテレスの解釈を披露した。氷が水に浮くのは形が平たいからで，平たい面は水を押しわけてそのなかに入りこむことはできないから，沈むことはない。もしこの抵抗がなければ，氷は水より重いから，水のなかに沈むというのである。

　しかし25年前から，水に浮く物体の考察を進めていたガ

⇧ガリレオとコジモ2世──当時のすべての芸術家や学者と同じく，ガリレオは君主の庇護に依存する宮廷人だった。1612年に，彼はバルベリーニ枢機卿へ次のような手紙を送っている。
「私はいとも名高き，いとも尊き猊下より，多大なる愛顧をいただきましたが，なかでも忘れることができないのは，先だってわが主君であるいとも麗しき大公のもとで食卓をかこんだ際，猊下がいとも名高き，いとも尊きゴンザーガ枢機卿に反対し，私の意見を支持してくださったことです。私が思いますに，それはただ猊下が庇護をあたえてくださったしもべのひとりへの愛顧であるばかりか，真実そのものへの愛顧でもあります」

> Galileo Galilei.
>
> *uod tale altezza, che senza acqua in mole, quanta sia la parte del solido sommersa, peserà assolutamente quanto tutto il solido; egli da tale acqua sarà giustamente sostenuto, e sia l'acqua circa nfusa in*

リレオは、コロンベの説に同意しなかった。パドヴァ大学の教授となる以前に、彼は古代ギリシアの科学者アルキメデスの業績を研究し、さまざまな物体を水に沈めては比重を測定する実験を行なっていたのである。

　ガリレオはまず、無理やり水中に沈められた氷が、手を放すと、水は氷を下に押しているはずなのに、ふたたび水面に浮かびあがってくる点を指摘した。問題なのは、水の抵抗でも氷の形でもない。丸い氷でも、平たい氷と同じく水に浮かぶ。氷は水より軽いからである。問題は、ある物体がほかの物体とくらべて相対的に重いとか軽いかだけなのだと、ガリレオは主張した。

⇧『水に浮く物体または水中を移動する物体に関する論考』所収のガリレオのデッサン――『星界の報告』は、当時の学者たちの共通語だったラテン語で書かれたが、ガリレオの主な著作は、一般人でもその内容を理解できるよう、イタリア語で書かれた。

下は、ガリレオの論文に対するルドヴィコ・デレ・コロンベの反論にガリレオが回答した著書の本扉。ガリレオは世論を味方につけながらも、自分が敵たちをますますいらだたせていることは、よく理解していた。

■「論争」は、途方もなく激化した。ピサ大学の教授たちは、自分たちの知識が完全に間違いであることを、ガリレオに証明させようとしなかった

　論争は激しさを極めた。それはピサ大学の教授たちが、大公の手前、専門分野における自分たちの名声を守ろうとしたという、ただそれだけの理由によるものだった。

　不幸なことに、この論争にはふたりの枢機卿も加わった。アリストテレスの

RISPOSTA
ALLE OPPOSIZIONI
Del S. Lodovico delle Colombe, e del S. Vincenzi di Grazia, contro al Trattato del Sig. Galileo Galilei, delle cose che stanno sù l'Acqua, ò che in quella si muouono.

第3章 フィレンツェでの勝利

支持者たちは、枢機卿たちが自分たちの味方につくことを期待し、実際にひとりはそうなった。しかしもうひとりのマッフェオ・バルベリーニは、ガリレオ側についたのである。

こうした科学的議論を喜んだトスカナ大公コジモ2世は、ガリレオに本を書くことを命じた。そこでガリレオは1612年5月、『水に浮く物体または水中を移動する物体に関する論考』を出版した。イタリア語で書かれたこの本には、望遠鏡も特別な器具も必要としない、誰にでも理解できる実験が数多く収められていた。この本のなかで、ガリレオは敵たちの言い分をあらかじめ列挙して、それらをひとつずつ、くつがえしていった。

浮体論争は、さまざまな結果をもたらした。まず、フィレンツェでは誰もがこの話しかしないようになり、良家の若者たちはこぞってガリレオの数学を学ぼうとした。次に、ガリレオはバルベリーニ枢機卿の友人となり、こののちもあらゆる機会に彼と顔を合わせることになった。そして、ガリレオは敵たちがまともな論争で彼に勝つことのできる可能性など少しもないことを証明したのである。

コロンベと彼の支持者たちは、ガリレオの本に対抗するため、とるにたりない小冊子を発行した。しかし、彼らは自分たちがこの論争に負けたことを完全に理解していた。

ガリレオを「身動きできなくする」ために、敵たちにはもはやひとつの方法しか残されていなかった。それは、宗教論争に彼を引きずりこむことだった

科学の分野を離れてカトリック教会の介入を図ることは、「よからぬことを考えている」人間を黙らせるための、もっと

⇩マッフェオ・バルベリーニ枢機卿の肖像——1623年にローマ教皇ウルバヌス8世となったバルベリーニ枢機卿は、開かれた精神の持ち主で、新しい思想にも好意的な人物だった。学問と芸術の保護者であり、自身も詩人だった彼は、教皇在位中に詩集を出版している。だが、教皇の座につくと、高い税金をかけてローマの民衆を苦しめたため、評判は悪かった。人びととはウルバヌス8世を「徴税教皇」とよび、その死を知ると喜びをあらわにした。

も確実で効果的な方法だった。この計画を軌道に乗せるためには，教会関係者を味方にすることが必要だった。

　これまでにも教会関係者は大勢登場したが，そのことは，当時のイタリアにおいてカトリック教会が重要な役割をはたしていたことを意味している。ヴェネツィア時代のガリレオの友人サルピ，クラヴィウスとローマ学院のイエズス会修道士たち，ベラルミーノ枢機卿，ローマ教皇パウルス5世，バ

⇧17世紀のフィレンツェで，ドミニコ会に割りあてられていた地区——左下に見えるのが，サンタ・マリア・ノヴェッラ大聖堂。その上の城壁近くにあるのが，サン・マルコ修道院。

076

ルベリーニ枢機卿などである。彼らはみな教養人で、おそらくベラルミーノ以外は、みなガリレオに好意的だった。

コロンベが味方にしようとしたのは、まったく別の種類の人間、つまり無学で、口汚く、攻撃的で、「信仰の番犬」を自称する人びとだった、彼らはフィレンツェに有名なサン・マルコ修道院を持つドミニコ会の修道士で、イエズス会修道士とはライバル関係にあった。

1612年11月1日、ドミニコ会修道士のロリーニ神父が、天文学における新しい思想は聖書に反すると公言した。3日後、ロリーニは「イペルニクスとかいう人物の思想」を非難した手紙をガリレオに送った。たいした危険はないと考えたガリレオは、友人たちと一緒にこの出来事を笑いとばした。このとき彼は、もっと興味深いこと、つまり太陽黒点の問題に没頭していたのである。

⇩読書する聖ドミニクス——フィレンツェのサン・マルコ修道院には、ドミニコ会修道士でもあった画家フラ・アンジェリコ（1400～55年）の有名なフレスコ画がある。下はそのひとつ『侮辱されるキリスト』の部分で、聖母マリアのそばで読書するドミニコ会の創立者聖ドミニクスが描かれている。読書はドミニコ会では一種の精神修養と考えられており、こんにちドミニコ会は有数の図書館をもつことでも知られている。ドミニコ会はつねに、聖書の文言の監視人を自負してきた修道会である。

■太陽黒点をめぐって、ガリレオとアリストテレスの支持者たちのあいだでふたたび論争がはじまった

太陽黒点を発見したのは、ガリレオではない。その観測記録は、なんと紀元前にさかのぼる。事実、肉眼で見えるくらい大きな黒点もときには出現する。しかし本格的な研究は、望遠鏡が誕生するのを待たなければならなかった。ガリレオは早くも1610年から、太陽黒点の観測をはじめていた。

太陽黒点の問題は複雑だったため、1612年1月にドイツで『太陽黒点に関する手紙』が出版されたときまで、ガリレオはこのテーマに関する発表をなにもしなかった。まもなくこの本の著者は、イエズス会修道士のシャイナー神父であることが判明した。1611年から太陽黒点の観測を開始したシャイナーは、アリストテレスの世界を正当化するという、ガリレオが到底見過ごすことのでき

ない説明を行なっていた。

シャイナーは，太陽黒点が斑点だとは考えなかった。太陽は変わることのない完璧な天体なので，変化したり，ましてや動いたりする斑点があるはずなどないからである。太陽の表面で生まれたり，動いたり，消えたりするものは，太陽の前を動く小さな天体の影だとシャイナーは主張した。

ガリレオはまず一連の手紙で，次に1613年3月に出版された著書『太陽黒点に関する沿革と証明』で，シャイナーの説に反駁した。彼は太陽の縁に近づくにつれて黒点が平たくなることから，黒点は太陽の表面に張りついたきわめて平たい雲状のものであると結論づけている。そして太陽の縁に近づくにつれて黒点が薄く，細く，ほとんど線のようになるのは，黒点を断面から見ているからだと説明した。太陽の中心に近いほど黒点の動きが速いように見えるのは，太陽が一定の速度で自転しているからだとのべている。太陽の表面上のある一点が縁に近づくにつれて，その点が1日あたりに動く距離をわれわれはより斜めの方向から眺めることになるため，速度が遅くなるように見えるのである。

⇩シャイナーの太陽観測装置

〔右頁上〕ガリレオが記録した太陽黒点──ドイツのイエズス会修道士クリストファ・シャイナーは，1611年3月に太陽黒点をはじめて観測した。彼は太陽を投影法〔望遠鏡を通した太陽像を紙に投影する方法：下図参照〕によって観察した。シャイナーはその研究を16年間つづけ，成果を1冊の大著『熊のバラ』にまとめた。
〔右頁下〕シャイナーによる太陽黒点の描写

第3章 フィレンツェでの勝利

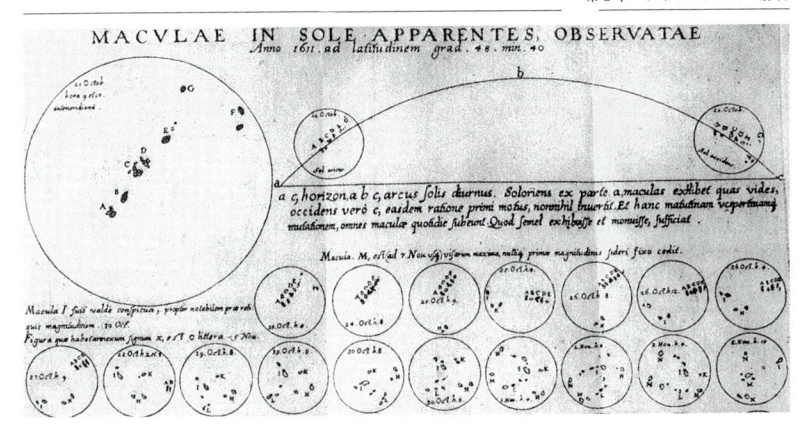

MACVLAE IN SOLE APPARENTES, OBSERVATAE
Anno 1611. ad latitudinem grad. 48. min. 40

　もちろんわれわれは，太陽黒点が太陽の表面に張りついた「平たい雲状のもの」ではないことを知っている。黒点は，普通の太陽表面よりも温度が低い部分なのである。しかしそれ以外では，ガリレオはまったく正しかった。

　さらに彼は，それまでの天文学にふたつの点で大打撃をあたえた。まず，太陽が自転しているということ。もしそうならコペルニクスがいったように，地球も自転しているのではないか。それから，天空世界は不変ではなく，そこではさまざまな変化が起こっているということ。

　こうした考えは，ついにはしぶしぶながら認められることになる。シャイナー自身も20年後には，火山が散りばめられた炎の海は，もはやしみのない磨かれた球とは似ても似つかないと，太陽のことを表現するようになる。しかしさしあたり，イタリア語で発表されたガリレオの新しい論拠は，以前にも増して危険な攻撃の火種となったのである。

> 「ありとあらゆる考えをめぐらせた結果，私は結論を出しました。例の太陽黒点が太陽に接触していることは確実だと思います」。
> 　　ガリレオからマッフェオ・バルベリーニへの手紙

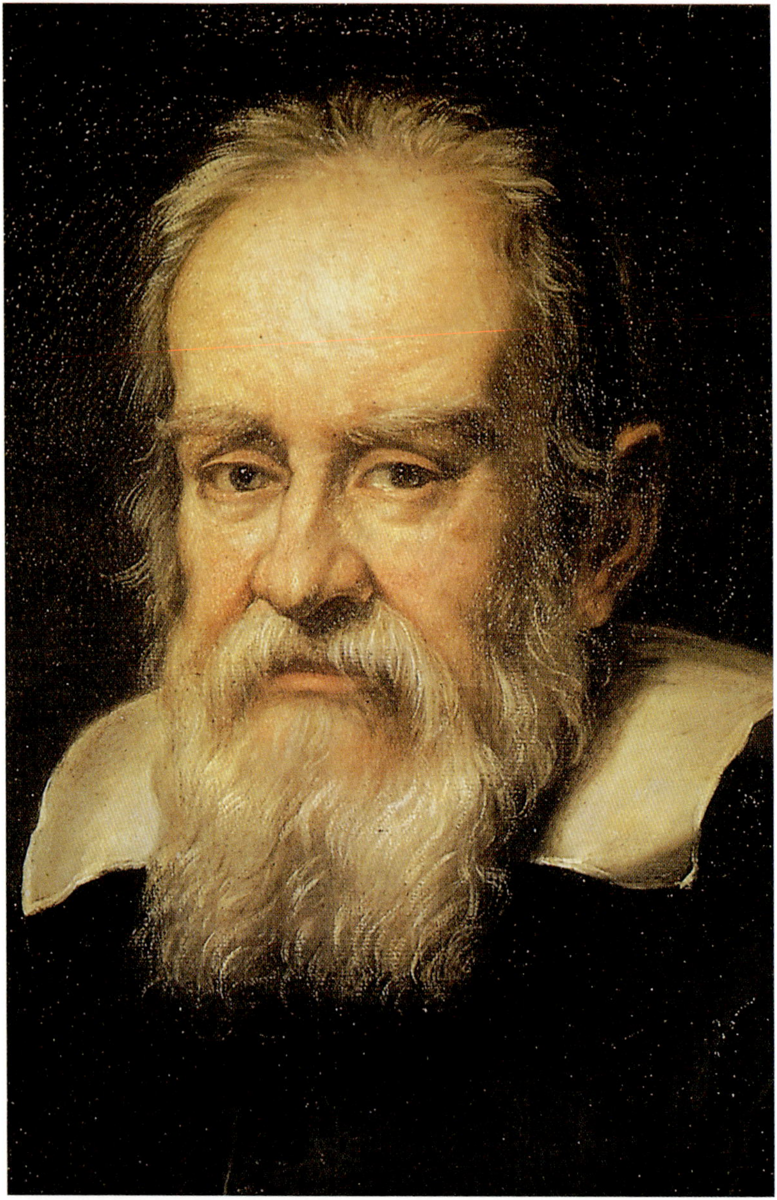

❖科学上の論争では，ガリレオはすでに完全な勝利を収めていた。しかし彼の成功を目の当たりにした伝統主義者たちは，自分たちのいらだちを別の方向へ向けた。ガリレオを黙らせるために，宗教と異端審問所を武器として戦いを開始したのである。 ……………………

第 4 章

罠にかかったガリレオ

〔左頁〕ガリレオの肖像
⇨異端放棄の宣誓書の最後に記されたガリレオの署名——「私，ガリレオ・ガリレイは，上記のとおり（異端放棄の）宣誓をしました」

1613年5月，コジモ2世の息子の洗礼を祝う祝祭が行なわれ，ガリレオにとって名誉なことに，メディチ星をあしらった木星の山車（だし）が町中を練り歩いた。その同じ年，ガリレオに対する宣戦布告がなされたのである。

　このときはガリレオが直接攻撃を受けたのではなく，彼の弟子のひとりで，ピサ大学の数学教授となったばかりのカステリ神父が標的となった。ガリレオの敵たちは，カステリをピサ大学に喜んでむかえはしなかった。そしてカステリを攻撃すれば，ガリレオにも打撃をあたえることができると思ったのである。カステリが到着すると，ピサ大学の学長デルチは，コペルニクスの説について論じることを彼に厳しく禁じた。あとは注意深く，絶好の機会を待つだけだったのである。

⇩クリスティーナ・ディ・ロレーナ——彼女は17世紀初頭に権勢をふるっていたロレーヌ公の娘で，トスカナ大公妃にふさわしい地位の女性だった。息子のコジモ2世がフィレンツェを美しく飾り，祝宴を開くことにかまけていたため，この信心深く精力的な大公妃が，トスカナ大公国の事実上の統治者だった。

■少しずつ，ガリレオのまわりに罠が張りめぐらされていった

　1613年3月，コジモ2世の母であるクリスティーナ大公妃が臨席する食卓で，ピサ大学のとある教授が，コペルニクスの理論は聖書に反するかどうかをカステリにたずねた。クリスティーナ大公妃は非常に信心深く，しかも宮廷の実力者だった。ピサ大学の教授たちは，まさに絶好の機会をとらえたのである。しかし，ベネディクト会修道士でコペルニクス説支持者でもあったカステリは巧みに議論をかわし，敵たちによっ

て引きおこされた大公妃の疑念を見事に抑えた。

翌日，彼はこの出来事をガリレオに報告した。ガリレオはカステリだけを渦中に置いておくことはできないと考えた。彼はこの問題に関する自分の考えをはっきりとのべた手紙をカステリに書き送り，その写しを人びとのあいだに流布させるようにいった。

こうしてガリレオの敵たちは，計画の第1段階を実現した。つまり，ガリレオを宗教の分野におびき寄せることに成功したのである。あとは，スキャンダルを引きおこすだけだった。1614年12月，サンタ・マリア・ノヴェッラ大聖堂で，カッチニという名前のドミニコ会修道士が，聖書の言葉を引用してガリレオを攻撃した。彼は説教のなかで，数学者とコペルニクスの思想を激しく非難した。

ドミニコ会の高位聖職者は，すぐにガリレオへ謝罪の手紙を書いた。彼は，自分の権威のもとに置かれた4万人の修道士のなかに，このように狂気じみたふるまいをしたものがいたことを嘆き，責任を感じているとガリレオに弁明した。一方，この高位聖職者は，カッチニに対して，ルドヴィコ・デレ・コロンベの仲間たちの思う壺にはまるような振る舞いをしたことを非難する手紙を送った。

コロンベの一味にとって，千載一遇の機会が訪れた。以前すでに一度ガリレオを非難したことのあるドミニコ会修道士のロリーニ神父が，ふたたび行動を起こしたのである。ロリーニはカステリにあてたガリレオの手紙の写しを手に入れ，その何箇所かを書きかえたものを異端審問所に送りつけた。

同じころ，カッチニはみずからピサの異端審問所に出頭し，ガリレオのあやまちについて証言した。審問官たちはその証拠を必要とし，ロリーニから送られてきた改ざんされた手紙

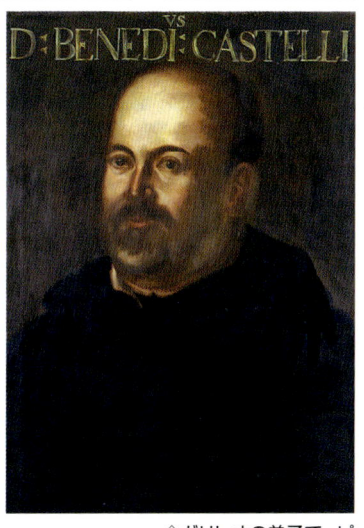

⇧ガリレオの弟子で，ピサ大学数学教授となったカステリの肖像——「あなたがおっしゃったことはアリゲッティ氏からもうかがいましたが，それらは聖書を自然哲学の論争に巻きこむことに関する問題を，あらためて考えなおすよい機会となりました。（略）ひとつだけつけ加えておかなければならないと思うのは，聖書には誤りがないとしても，聖書の解説者や注釈者のなかには誤りを犯す人がいるかもしれないということです。そのうちもっとも一般的で重大な誤りは，聖書を文字どおりの意味でとらえることに固執することだと思われます」

ガリレオから
カステリへの手紙
（1613年12月21日）

を読みかえした。さらに彼らは、ロリーニやカッチニの同僚や友人たちもひとり残らず尋問した。そしてついに、事態は動きだした。ピサの異端審問所は、このような告発を放置しておくことはできなかった。その結果、書類がローマの異端審問所に送られることになったのである。

⇦ロベルト・ベラルミーノの肖像——イエズス会修道士で枢機卿でもあった彼は、当代随一の神学者だった。台頭する新しい思想からカトリック教会の権威を守ることに没頭した熱意が評価され、彼は1930年に聖人に列せられ、その翌年には教会博士の称号があたえられている。

カトリック教会は、いやおうなしに介入をせまられた

1615年2月、ガリレオの親しい友人のひとりだったローマの修道士が、彼に手紙を送ってきた。

「バルベリーニ枢機卿はつねにあなたの才能に感嘆なさってきましたが、その枢機卿が昨晩、私におっしゃいました。これらの問題に関してあなたがもっと慎重に行動し、プトレマイオスとコペルニクスによって使われた論拠を超えることなく、物理学と数学の境界線をはみだすこともなければよいのにと。なぜなら、神学者たちにとって聖書の解釈は自分たちの領域だからです」

この神学者たちのトップが、ベラルミーノ枢機卿だった。彼はローマ教皇の権威のもとで、カトリック教会の統一性を強化するためだけに人生を捧げていた。すでに見たように、早くも1611年の春に、ガリレオに関する秘密の報告書を異端審問所に求めていたのが、このベラルミーノだったのである。

いまや、当然のことながら彼は、この件についてローマで起きていることをすべて知っていた。異端審問所の審問官たちは、ガリレオの「冒瀆行為」に関するロリーニやカッチニ

一味の証言を少しずつ集めていたが、ベラルミーノはガリレオが告発されている内容については誤りだと、はじめから確信していた。彼は、もっとずっとまじめな問題、つまり聖書とコペルニクスの理論の矛盾によって教会内に生じた危機の問題にとりくんでいた。この問題は80年来のものだったが、これほど「危険」になり、一般大衆にまでおよぶようになったのは、ガリレオの発見があってからのことだった。

カトリック教会内に不安をまき散らしたガリレオ

カトリック教会は揺れていた。ローマ教皇の主席天文官クラヴィウスは伝統的な天文学を見直す必要性を示唆してい

⇩トレント公会議──この会議は、プロテスタント教会の発展に危機をいだいたカトリック教会が、教義の土台を明確にすることと、教会の統一性と規律を強化することを目的として開いた、反宗教改革の出発点となる会議だった。途中で何度も長期の中断をはさみながら、1545年から63年まで続いた。

たが，1612年にこの世を去った。ローマ学院をひきいる彼の後継者も，クラヴィウスとほとんど同じ考えだった。

　ベラルミーノがただちに行動する決心をしたのは，1615年3月にナポリの神学者フォスカリーニの著書を受けとったことがきっかけだと思われる。断固としたコペルニクス説支持者で名の知れた神学者だったフォスカリーニは，コペルニクスとガリレオは正しいと著書の中に書いており，ベラルミーノにそれに関する見解を求めてきたのだった。

　すぐにベラルミーノは返事を書いた。最初に彼は，現象を数学的に記述するかぎりコペルニクスの理論をもちいることは悪くないと認めた。しかし，太陽が実際に世界体系の中心であると断言することは，「きわめて危険で，哲学者や神学者を憤慨させるばかりか，聖書に矛盾するためにわれわれの聖なる信仰に損害をあたえる態度である」と断言したのである。

　この手紙を，ベラルミーノは次のようにしめくくっている。「『地球は永遠に静止している。太陽はのぼり，そして沈む』。そういったのは，神ご自身の知恵をすべて受けついでいたソロモンです。そんな彼が，証明された真実，あるいは証明できる真実に反することを口にしたとは，到底考えられません」

⇧フォスカリーニの『地球の可動性と太陽の不動性に関するピタゴラスとコペルニクスの意見についての手紙』——聖書とコペルニクスの見解を両立させようというフォスカリーニの意志は，彼の著書の題名をかこむ装飾によって明確に示されている。左側の部分には科学に連なる事柄（幾何学や天文学など）が，正面にはカトリック教会の教義にかかわる事柄（三位一体や神の遍在性など）が描かれている。

ガリレオは最後通牒を突きつけられた。彼が自分の見解を捨てるか，カトリック教会と戦うかの，二者択一だった

　ベラルミーノは，きわめてはっきりとした選択をフォスカリーニに（そして間接的にはガリレオに）せまった。コペルニクスの見解をただの数学的仮説として示すのであれば，カトリック教会はまったく問題としてとりあげない。しかし，コペルニクスの見解が世界の実際の姿であるといいはるのならば，戦いにのぞまなければならない，というのである。

　2000年前に，古代ギリシアの哲学者たちが，天上の現象

第4章 罠にかかったガリレオ

は数学的にとらえることだけにとどめるよう、天文学者たちに強いた。そのときから、地上と天上は完全にわけて考えられるようになり、そうした考えはその後、ありとあらゆる宗教によって支持されるようになった。

　しかしいまや、月の山々、太陽黒点、木星の衛星、金星の満ち欠けといった新事実がもたらされた。カトリック教会はそのことを認めなければならない。天上の現象を数学的にとらえることだけにとどめるよう、そして世界の本当の姿の問題については触れないよう天文学者たちに強いることは、以前とくらべてずっと難しくなったのである。

　ガリレオは、聖書についての論争をしようなどとは少しも

⇧15世紀の古文書——中世の図像では、地上（月下界）と天上（天上界）の区別が、ひんぱんにテーマとして描かれている。この古文書の挿絵にもあるように、神とその創造物は、空間的にも概念的にも、異なるふたつの領域に属していると考えられていた。

考えていなかった。しかし彼の敵たちはガリレオを論争の場に引きずりだそうとし,いまやその論争はカトリック教会の最高レベルにおいて行なわれようとしていた。ガリレオは,もうあとには引けないことを悟った。

彼は,教会関係者である友人のひとりにこう書き送っている。「私はコペルニクスの思想にこだわっている人間ですから,彼の思想が数学的仮説でしかないと認めてしまえば,ほかのコペルニクス支持者たちはみなそれを信じてしまうでしょうし,コペルニクスの理論が物理的に正しいと考えるよりも,彼の理論がまちがっていると判断する可能性のほうが高いのです。私にいわせれば,それは大きなあやまちです」

だがその一方で,ガリレオは敬虔なカトリック教徒だった。

⇩ローマのポポロ広場──左手には,ヴィラ・メディチと庭園が見える。

建築好きのローマ教皇ウルバヌス8世は,ローマに数々の建築物を残した。(↗)

彼は宗教と教会を心の底から敬っていた。つまりこのとき彼は、「自分の科学」を禁じられた上に、「自分の宗教」をいわれのない罪で汚されかねない事態に追いこまれていたのである。しかし、彼自身はキリスト教徒であると同時にコペルニクス説支持者であり、自分の科学と宗教は完全に両立できると考えていた。

　ついにガリレオは、ローマへ行って戦うことを決意した。その前に、彼は聖書と新しい天文学は矛盾しないという自分

（↗）建築家ベルニーニを崇拝していた教皇は、ベルニーニにバルベリーニ館を建てさせたあと、新しいサン・ピエトロ大聖堂の主祭壇の天蓋をつくらせた（1626年に落成）。

　この天蓋のために、ウルバヌス8世はパンテオンの屋根の青銅をはがさせた。そのことから、「蛮族（バルバリ）さえしなかったことを、バルベリーニはした」という格言が生まれた。

の考えを，トスカナ宮廷でおそらく一番信心深く，ガリレオに非常な好意をいだいていたクリスティーナ大公妃への長い手紙にまとめた。この手紙が出版されたのは20年後のことだが，ガリレオは手書きの写しを何部も流布させている。その後，彼はロリーニやカッチニの攻撃が事実無根であることを異端審問所の審問官たちに納得させるため，ローマへ出発した。

　彼はどうしても異端審問官を納得させたかった。もちろん15年前のジョルダーノ・ブルーノのように火刑に処せられたくなかったし，無実であることが認められないかぎり自分の科学を擁護することはできないと考えたからだった。

　彼はすぐに成功を収めた。コロンベ派が引きおこしたスキャンダルがカトリック教会を動かすという目的を達したいま，審問官たちはこの疑わしい告発に固執しないようにとの命令をおそらく受けていたのだろう。ガリレオに対する個人的な告発はなされないことが，公式に決定された。

■聖書とコペルニクス説は矛盾しないことを，ガリレオはカトリック教会に納得させようとした

　訴追を免れたガリレオは，今度はコペルニクスの地動説は聖書に書かれていることと矛盾しないという自分の主張を，カトリック教会に認めさせる戦いを開始した。

　彼は激しい情熱をもって弁舌をふるったので，出会った人びとをみな，楽々と説得することができた。しかし，身分の高い人物には面会することができず，ベラルミーノ枢機卿にも一度も謁見してもらえなかった。ガリレオはベラルミーノと4人の枢機卿に，自分の主張をまとめた文書を送った。しかし，賛成とも反対とも，なにも返事がなかった。

　ローマ学院のイエズス会修道士はほとんど説得できたはずだったが，彼らもしだいにあいまいな態度をとりはじめた。彼らは総長から，アリストテレスに反対することをなにひとつ語ってはならないという命令を受けていたのである。

　友人たちも，あてにはならなかった。万策尽きたガリレオは，

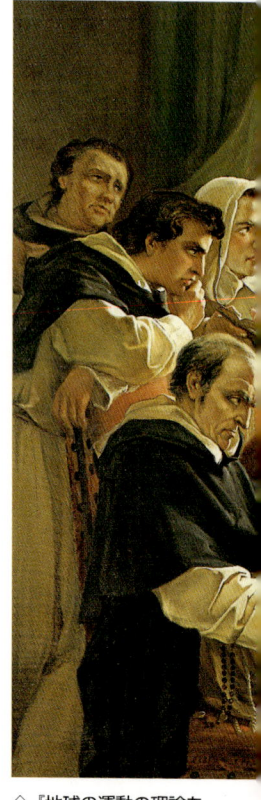

⇧『地球の運動の理論をローマの異端審問所の審問官たちに説明するガリレオ』──「妃殿下もよくご存知のとおり，私は数年前，天空のなかに，それまで知られていなかった数々のものを発見いたしました。しかしそれらの発見は，大勢の教授たちをいらだたせました。(↗)

第4章 罠にかかったガリレオ

トスカナ大公と血縁関係にあったオルシーニ枢機卿に仲介を求める手紙を書いてほしいとコジモ2世に頼んだ。コジモ2世はすぐにその願いを聞きいれ、オルシーニ枢機卿はローマ教皇に会って話をした。しかし、これ以上強硬に主張すれば、異端審問所が関与する事態になりかねないという返答がもたらされただけだった。

1616年2月26日、ベラルミーノはドミニコ会の幹部たちを従えて、前日に決定がくだされたことをガリレオに宣言した。異端審問所の命令は、次のようなものだった。「地球が太陽のまわりをまわっているという思想は愚劣で不合理で、哲学的にも形式的にも異端である。なぜなら、この思想は明白に

(↗)それらの新しさと、諸学派の学者たちによって認められている自然に関する定理に相反する結果が原因で、まるで私が、自然と科学を混乱させるために、これらの事物を天空に自分の手で置いたかのように、彼らは私にいらだったのです」

ガリレオから
トスカナ大公妃クリスティーナ・ディ・ロレーナへの手紙（1615年）

聖書の教義に反しているからである」

異端審問所は布告を出した。ガリレオは，コペルニクスの思想を公然と擁護することを禁じられた

こうしてガリレオは戦いに敗れた。コペルニクス説を非難した修道士たちは，誰ひとりとしてコペルニクスの本を読んだことがなく，彼らはただベラルミーノに服従しただけだった。そのベラルミーノはコペルニクスの本の序文だけは目を通したが，それはコペルニクスが書いたものではなかった。

ガリレオに対する命令は，すべての教会で読みあげられ，すべての大学で告知された。ヨーロッパ中の異端審問官が，コペルニクスの著書と彼を擁護する本を書店から没収した。地球が太陽のまわりをまわっていることをカトリック教会が公式に認めたのは2世紀後，正確には1822年のことである。

すっかり落胆したガリレオは，その後2年間病気に苦しみ，ほとんどなにもしなかった。だが1618年，彼はふたたび活動を開始する。この年，3つの彗星が出現したからである。例によって論争が開始されたが，ガリレオは『偽金鑑識官』と題した著書を出して，この論争に終止符を打った。『偽金鑑識官』が出版された1623年にローマ教皇が亡くなり，浮体論争以来のガリレオの友人バルベリーニ枢機卿がウルバヌス8世としてそのあとをついだ。ガリレオはウルバヌス8世への献辞をつけて『偽金鑑識官』を刊行し，1624年にふたたびローマへ行った。彼は新しい教皇に歓迎され，

⇧『偽金鑑識官』(1623年)の口絵──「哲学〔世界の基本原理〕は，われわれの眼の前につねに開かれている，この〔宇宙という〕きわめて巨大な書物のなかに書かれています。しかしその内容を理解するためには，まず，そこに書かれている言語と文字を理解しようと努力する必要があります。その本は数学という言語と，三角形や円，その他の幾何学的図形という文字で書かれています。そうした形でなければ，人間はこの本をひとことたりとも理解できないのです」

ガリレオ

プトレマイオスとコペルニクスの思想を，コペルニクス説だけを全面的に支持するのではなく，両方を仮説として紹介するのならば本に書いてもよいという許可を得た。

ガリレオは4年間かけて本を書いた。『天文対話』と題されたこの本は，コペルニクス派のサルヴィアチ，プトレマイオス派のシンプリチオ，良識人サグレドという，3人の人物の対話で構成されている。

わずか1年のあいだに，栄光から牢獄へつきおとされる

1632年に，『天文対話』がようやく出版された。ヨーロッパ中が，この本を熱狂的に受けいれた。もちろんガリレオは，コペルニクス説を公然と支持してはいなかったが，登場人物のうち，コペルニクス説を支持するサルヴィアチが，プトレマイオス説を支持するシンプリチオよりも見事な論拠を示しているのは，誰の目にもあきらかだった。

不幸なことに，ローマ教皇の側近たちは，ガリレオはこの本をコペルニクスを擁護するために書いたのであり，間抜けなシンプリチオが実は教皇を戯画化した人物だということを，教皇に信じこませることに成功した。しかし，こうした非難はまったくの的外れだった。当時ガリレオが置かれていた状況で，教皇を，しかもガリレオに対してきわ

⇩『天文対話』の口絵——ここでガリレオは，コペルニクスとプトレマイオスと議論をする姿で描かれている。彼はこの本の出版許可を得るために仲介してくれた，コジモ2世の後継者にあたる若きトスカナ大公フェルディナンドへの献辞のなかで，コペルニクスとプトレマイオスを「われわれにこうした内容の作品をあたえてくれたふたりの偉大なる天才」とよんでいる。

めて好意的な教皇を馬鹿にすることなど，狂気の沙汰でしかないからである。

　だが『天文対話』は即座に発禁処分となり，異端審問所がふたたび動きだした。ローマに召喚され，拷問をほのめかされたガリレオは，このときすでに69歳で，健康状態も非常に悪かった。彼にはもう，頼ることのできる人が誰もいなかった。コジモ2世はすでに亡くなり，ローマの友人たちもこの世を去ったか，教皇の怒りを恐れて沈黙したままだった。

　1633年6月22日，ドミニコ会のサンタ・マリア・ソプラ・ミ

⇩『ヴァチカンの検邪聖省に立ちむかうガリレオ』——ガリレオ裁判を描いた有名な絵画。重々しい裁判の結末や，悲壮なガリレオの異端放棄の宣誓より，むしろ法廷の雰囲気が表現された作品である。96・97頁も，ガリレオ裁判を題材とした絵画。

第4章 罠にかかったガリレオ

ネルヴァ修道院で、裁判官と司祭団を前に、ガリレオはひざまずいて、人生を通して守ってきた思想をもはや信じないことを宣言した文章を読みあげなければならなかった。

その結果、彼は「終身刑だけ」で済んだ。1年後、彼は釈放され、最終的にはフィレンツェ近郊のアルチェトリの自宅に住むことを許された。しかし、許可なく外出することもできず、異端審問官が同席しないかぎり身分の高い訪問客をむかえることもできなかった。

こうした状況のなかで、晩年のガリレオは1冊の本を書い

トスカナ大使の家で2ヵ月間待機したのち、1633年4月12日に、第1回目の尋問のため、ガリレオは検邪聖省に呼びだされた。

「異端審問所を相手にするのは、恐ろしいことだ。気の毒に、彼は半死半生で戻ってきた」とトスカナ大使は書き残している。

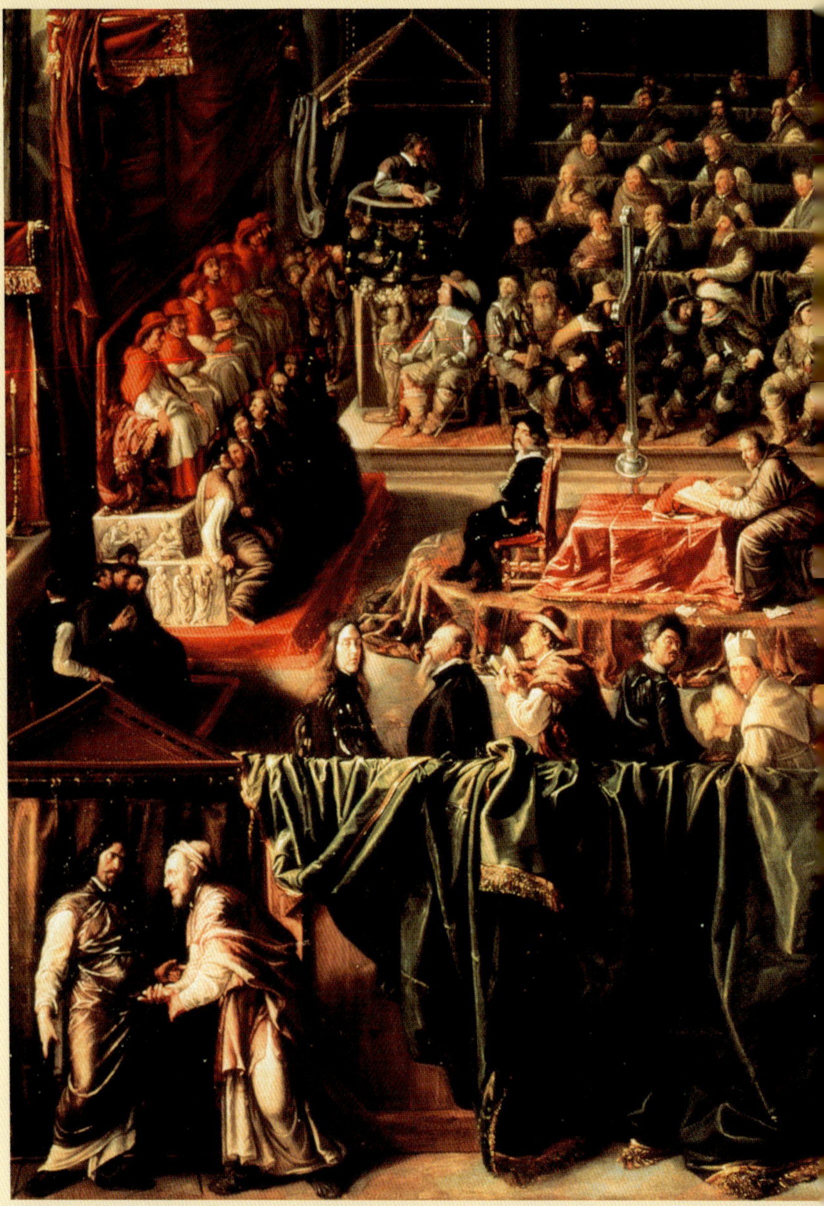

第4章　罠にかかったガリレオ

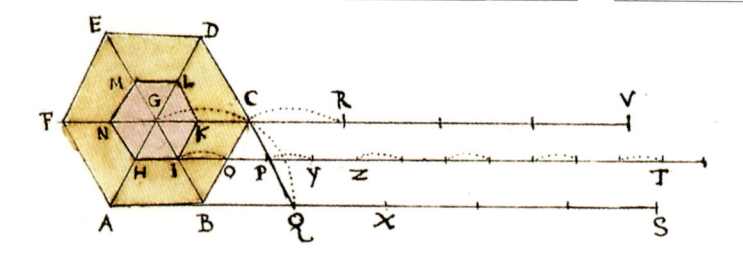

た。すでにパドヴァで着手していた，運動に関する大著である。『新科学対話』と題されたこの本は，のちに近代物理学を誕生させた歴史的名著と評せられることになる。ガリレオはこの本を，ローマから遠く離れたオランダのアムステルダムで，非合法に出版した。

死の4年前にあたる1638年，ガリレオは『新科学対話』が無事に出版され，ヨーロッパ中の科学者がその本を読んでいることを知ったという。もはやアリストテレスの思想も，そう長くはつづかないだろう。そのときガリレオは，ついに自分が勝利を手にしたことを知ったはずである。

〔右頁〕『新科学対話』の手書きの原本の複製

〔左頁〕同書の挿絵——1638年に出版されたこの本は，ガリレオの最後の著書である。彼は自分の手で挿絵も描いた（左）。ここには，ガリレオの物理学の全業績が集められている。誇張でなく，この本は近代物理学の最初の本といえる。

〔次々頁〕ガリレオの仕事場

第4章　罠にかかったガリレオ

della larghezza c a è maggiore della metà della grossezza b c,
servendoci quella p contrabalenza della c a e questa della c b p
superare la medesima resistenza d è la quantità delle libre
di tutta la base 3 b. Concludesi p tanto la medesima riga ò

Prisma più largo che grosso resister più all'esser rotto p taglio
che p piatto secondo la proportione della larghezza alla grossez-
za. Conviene ora che cominciamo a investigare secondo qual
proportione vadia crescendo il momento della propria gravità
in relatione alla propria resistenza all'essere spezzato in un p-
risma ò cilindro, mentre stando parallelo all'orizonte si và allunga-
ndo; il qual momento trovo andar crescendo in duplicata proportio-
ne di quella dell'allungamento, p cui dimostrazione intendasi il
prisma, ò cilindro AD fitto saldamente nel muro dall'estremità A,

e sia equidistante
all'orizonte, sia il me-
desimo intendasi allu-
ngato sino in E aggiu-
gnendovi la parte BE
è manifesto che l'allu-
ngamento della leva
AB sino in C cresce p-
p di solo, cioè assoluta-
mente preso il mome-
nto della forza preme-
nte contro alla resiste-
nza dello spezzamento
e rottura da farsi in
A secondo la propor-
tione di CA à BA, ma
oltre a questo il peso
aggiunto del solido
BE al peso del solido
AB cresce il momen-
to della gravità pre-
mente secondo la propor-
tione del prisma
AE al prisma AB, la

qual proportione è la medesima della lunghezza AC alla AB,
Dunque è manifesto che congianti i due accrescimenti delle lunghez-
ze.

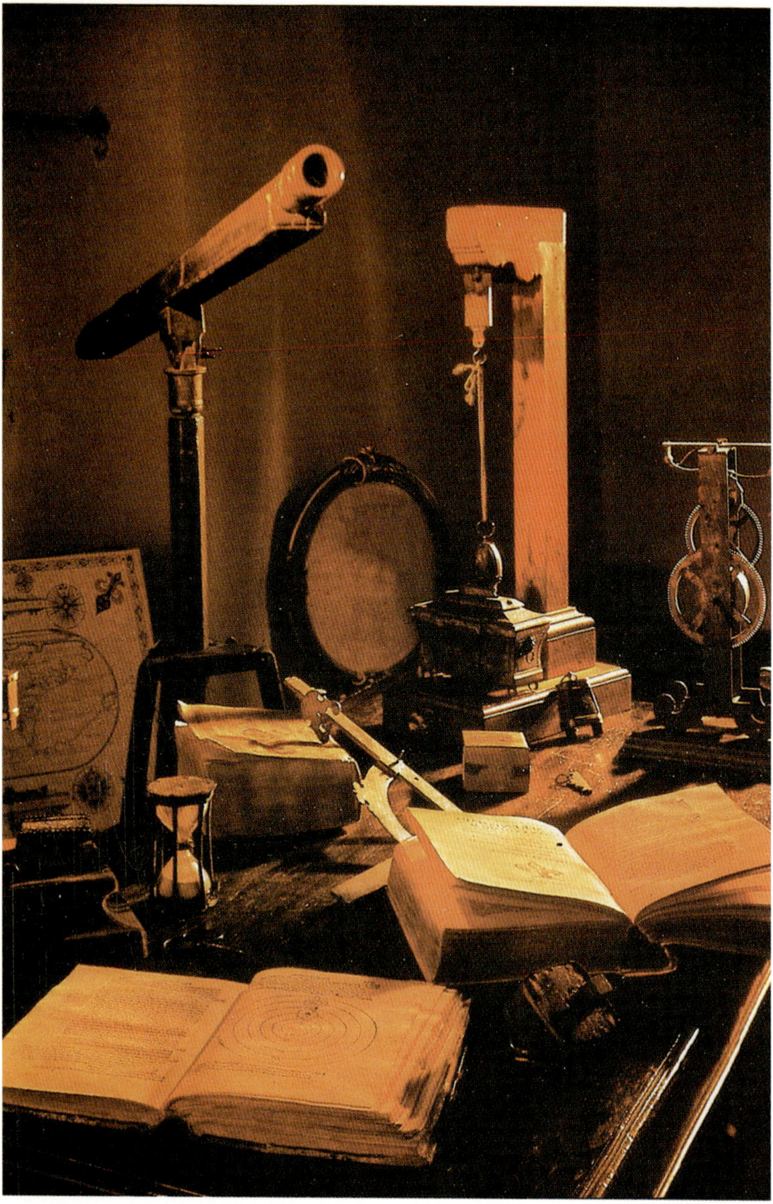

資料篇

はじめて宇宙を見た男

ガリレオによる木星とその衛星の図

1 「宇宙」の発見

『星界の報告』の冒頭で、ガリレオはみずからの発見の全貌に触れたあと、望遠鏡について語り、そののちに最大の「驚異」、つまり月の山々についてのべている。そのなかで彼は、まだ公然と地動説を擁護してはいない。だが、望遠鏡を使って人類史上はじめて観察された「宇宙」の実像に、人びとは熱狂し、この本の出版は大事件として受けとめられることになった。

⇧ガリレオが使っていたと思われる、16世紀末のアストロラーベ（天体観測器具）

この小論において、私は自然研究者の観察に対し、非常に重要な問題を提起している。それは主題そのものがすばらしく、現在までまったく知られることのなかった新しいものであると同時に、それをわれわれが知ることを可能にした器具の存在によって、重要なのである。

これまで肉眼で見ることのできたたくさんの恒星に、いままで発見されていなかった無数の星が加わり、昔から知られていた星の10倍以上の星がわれわれの目に映るようになった。それはまさしく重要な問題である。

地球の半径の約60倍離れた場所にある月が、わずか2倍しか離れていないように見えるのは、なんとすばらしく心動かされることだろうか。つまり、肉眼で見るよりも、直径は30倍、面積は900倍、体積は約2万7000倍大きく見えるのだ。そういうわけで、感覚的経験〔実体験〕のもつ確かさによって、月は、完全になめらかでつやのある表面におおわれているわけではなく、凸凹で起伏があり、地球の表面と同じく高い丘や深い谷やくぼみがあることがわかる。さらに、知性だけでなく感覚そのものにその本質をあきらかにすることで、銀河あるいは天の川に関する論争に決着をつけたことも無視できないように思う。また、天文学者たちが星雲とよんできた星々の実体が、これまで信じられてきたものとはまったく違うことをはっきりさせるのも、非常に興味深くすばらしいことだろう。

しかし、われわれの想像をはるかに上まわるもの、すべての天文学者や哲学者の注意をとくに引かずにはおかないものは、4つの惑星〔注：当時は「衛星」という言葉がなかった〕が発見されたことである。これらの星はわれわれ以前の誰にも知られず、観測もされなかった。金星や水星が太陽のまわりをまわっているように、この4つの星はよく知られた星のひとつのまわりを固有の周期でまわっている。それらはときにその星に先だち、ときに遅れるが、一定の限度以上には決して遠ざからない。これらのことをすべて、私は神の恩寵によって啓示を受けて考案した望遠鏡を使い、つい先ごろ発見し、観測した。

　今後、私あるいは私以外の人によって、おそらくもっと重要なほかの発見が、同じような器具を使うことでなされるだろう。まずはその器具の形と構造を、考案された状況と共に説明することにしよう。それから、私の観測について語ることにする。

　10ヵ月ほど前、あるオランダ人が望遠鏡を製作したという話を聞いた。それを使えば、観測者から非常に遠くにある対象物が、まるですぐ近くにあるようにはっきり見えるというのである。その驚くべき効果について、実際に体験したという人も大勢いた。信じる人もいれば、信じない人もいた。それから少したって、フランスの貴族ジャック・バドゥヴェールがパリから送ってきた手紙で、私はその話が本当であることを確認した。そこで、同じようなものをつくるため、この種の器具の構造を研究することに私は没頭した。まもなく私は、光学理論をよりどころとして、それに成功した。まず鉛の筒を用意し、その両端に2枚のレンズをとりつけた。2枚とも片面は平らで、もう片面は、1枚は凸状で、別の1枚は凹状のものである。それから凹面に目を近づけると、対象物がかなり大きく、かなり近くに見えた。肉眼よりも3倍も近くに、9倍も大きく見えたのである。その後、対象物が60倍以上に拡大される、さらに正確なもうひとつの望遠鏡をつくった。ついには、たいした労力も費用もかけず、対象物が肉眼よりも1000倍も大きく、30倍も近くに見えるすばらしい器具を完成させることができた。陸地でも海上でも、このような器具がどれほどの利点をもっているかを数えあげる必要はあるまい。

　しかし地上の観察はやめて、私は天空の観測にとりかかった。まず最初に月を見たが、まるで地球の半径の2倍の距離にあるかのように近くに見えた。それから、途方もない喜びをもって、恒星や惑星を何度も観測した。あまりにもたくさんの星が見えたので、それらのあいだの距離を測る方法がないかを研究しはじめ、ついにはそれを見いだした。

　ここで、同じような観測をしたい人びとに、特別な情報をあたえるべきだろう。まず、対象物を少しのあいまいさもなくはっきりと明瞭に映しだし、少なくとも400倍に拡大する、非常によくできた望遠鏡を準

備する必要がある。その望遠鏡は，対象物を20倍近くにあるよう見せるものでなければならない。このように上等な器具でなければ，天空のなかに姿をあらわし，のちに語られるものを見ようと思っても無駄である。(略)

こちら側を向いている月の表面について語ることにしよう。理解しやすいように，月の表面をより明るい部分とより暗い部分のふたつにわける。より明るい部分は半球全体をとりかこみ，埋めつくし，広がっているように見える。一方，より暗い部分は，雲のように表面そのものをかげらせ，表面に斑点をつけたように見える。少し黒っぽくてかなり大きいこれらの斑点は，誰の目にも見え，いつの時代にも観測されてきた。それらをほかの斑点，それほど広がってはいないが，かなりの数が，とくに一番明るい部分の月の表面を埋めつくしている斑点と区別して，大斑点，あるいは昔からの斑点とよぶことにしよう。小斑点のほうは，われわれ以前にはまったく観測されたことがなかった。それらを何度もくりかえし観察した結果，次のような結論にいたった。月の表面は，哲学者の多くが月やほかの天体について断言しているように，なめらかで一様で厳密な球体ではない。それどころか，凸凹で起伏があり，くぼみや丘だらけで，山脈や深い谷が縦横に走っている地球の表面と，なんら変わりがない。このような結論が導きだされたのは，次のような現象からである。

新月から4〜5日たって，三日月状に輝いている月は，光と陰の部分の境界線が，きれいな直線を描いていない。完全な球体上ならば直線になるはずなのに，その境界線は凸凹で曲がりくねっている。光と影の部分の境界線を超えて，陰の部分に輝く突起物のようなものが広がり，逆に，暗い小片が光の部分に突きでている。さらに，陰の部分から完全に分離したたくさんの黒い小斑点が，「昔からの大斑点」をのぞけば，すでに太陽に照らされている区域全体に散らばっている。次に，この小斑点には共通点があることがわかった。太陽に向

⇧『星界の報告』のなかでガリレオが描いているオリオン座（上）と，プレアデス星団（右頁右上）

かう側の部分は黒く, 反対側の部分は, 赤く照らされた頂のように, 光り輝く輪郭でとりまかれているように見える。

それはまさしく, 地上で太陽がのぼるときに似た光景といえる。谷にはまだ光が届いていないのに, 太陽に照らされた側では山の斜面が光で輝いている。地上のくぼみの陰は, 太陽がのぼるにつれて減っていく。同じように, 月の照らされている区域が拡大していくにつれて, 小斑点からは黒い部分がなくなっていく。さらに, 月の光と陰の部分の境界線は凸凹で曲がりくねっているだけではなく, 驚くべきことに, 月の陰の部分には, 照らされている区域からかなり隔たった, 完全に分離した別の場所に, 明るく輝く点がたくさん見える。時間がたつにつれて, 少しずつその点は大きく明るくなり, 2～3時間後には, さらに広がりを増した照らされている区域の残りの部分とひとつになる。しかしそのあいだにも, ほかの点が次々と, ほとんどあらゆる場所で急激に増え, 陰の部分が輝き, 広がり, 依然として拡大していく照らされている区域と, ついにはひとつになる。

地上でも同じように, 太陽がのぼる直前に, 平野部は暗いのに山の頂は太陽によって照らされてはいないだろうか。(略) さらに, たくさんの黒い斑点があり, それらは光と影の境界線に近いほどより大きくて暗い。逆により遠いものは, それほど暗くなく, かなりくすんでいる。しかしすでに見たように, 各斑点の黒い部分はつねに太陽の光の側を向いていて, 太陽と反対側の部分, 月の暗い区画では, 輝く縁どりが斑点をとりまいている。青い目が散りばめられたクジャクの尾にあるような斑点があるこの月の表面は, まだ熱いうちに冷たい水につけて表面にひびを入れて起伏をつけた, 俗に氷ガラスと呼ばれるガラスの壺に似ている。

ガリレオ
『星界の報告』(1610年)

2 ガリレオ裁判

1633年6月22日水曜日の朝、ガリレオは、ローマにあるドミニコ会のサンタ・マリア・ソプラ・ミネルヴァ修道院の大広間に引き出された。悔悛の意をあらわす白い服を身につけた彼は、集まった裁判官たちの前でひざまずき、判決を聞いたあと、あらかじめ用意された文章を読みあげた。

判決文

「神の恩寵により、聖ローマ教会の枢機卿であり、すべてのキリスト教国における異端的堕落に立ちむかうよう、教皇座から特別に委任された異端審問総監。

汝ガリレオ・ガリレイ、フィレンツェ人の故ヴィンチェンツォ・ガリレイの息子、70歳は、1615年に、この検邪聖省に告発された。それは、一部のものによって教えられた誤った学説、つまり太陽は世界の中心で動かず、地球は動き、日周運動をするという学説を真実であると考えたためである。また、弟子をとってこの学説を教え、この学説に関してドイツの数学者たちと文通し、太陽黒点に関する本を印刷し、その学説とコペルニクスの学説を含むそのほかの文書を出版したためでもある。さらに、ときに聖書にもとづく反論に対して、聖書を自己流に解釈して答えたことによるものである。

⇧ガリレオの裁判が行なわれた、ローマのサンタ・マリア・ソプラ・ミネルヴァ修道院

この点に関して、汝がかつての弟子のひとりにあてて書いたとされている、手紙形式の文書の写しが提出された。そのなかには、コペルニクスの立場に従うさまざまな命題が含まれているが、それらは聖書の真の意味と権威に反するものである。

したがって、この聖なる法廷は、聖なる信仰をますます害する混乱と、そこから引きおこされる損失を回復したいと考えた。教皇聖下と至高にして普遍的な異端審問所の枢機卿猊下の命令により、異端審問所神学者が太陽の不変性と地球の運動というふたつの命題を以下のように定義した。

太陽は世界の中心にあり、その場所から動かないという命題は、哲学的に不条理でまちがっている。また形式的には、明白に聖書に相反することから異端である。

地球が世界の中心にはなく、静止しているのではなく動いており、しかも日周運動をしているという命題も、哲学的に不条理でまちがっており、神学的には「少なくとも信仰上は誤り」であるとみなされる。

しかし、当時は汝を寛大にあつかうことが望まれたため、1615年2月25日に教皇聖下の前で開かれた聖省会議において、次のことが決定された。ベラルミーノ枢機卿猊下が、このまちがった説を完全に放棄するよう汝に命じた。さもなければ、前述の検邪聖省の委員が、この説を誰にも教えず、擁護しないよう命じ、その禁止命令に従わなければ投獄することとなった。

⇧ガリレオによる異端放棄の宣誓──カヴァーニ監督の映画『ガリレオ・ガリレイ』(1968年)より

この命令を実行するため、翌日、前述のベラルミーノ枢機卿猊下の邸宅において、猊下ご臨席のもと、猊下みずからのおだやかで打ち解けた忠告ののち、書記と証人が立ち会うなか、前述の委員が、前述のまちがった説を完全に放棄し、今後いかなる方法でも、言葉によってでも文書によってでも、その説を主張し、擁護し、教えてはならないという禁止命令を汝にいいわたした。汝は従うことを約束し、放免された。

そして、このように危険な学説が根絶され、これ以上浸透してカトリックの真理に重大な損害をあたえないよう、禁書聖省は省令を出し、このような学説をとりあつかう書物を禁書とし、学説そのものが誤りであり、聖書にまったく相反していると宣言した。

ところが最近，フィレンツェで印刷され，『プトレマイオスとコペルニクスの二大世界体系に関するガリレオ・ガリレイの対話』と題された，汝の名前が記された本が出版された。この本の出版によって，地球が動き太陽は静止しているというまちがった説が日に日に広まっているということを，聖省は知らされた。そのため，問題の書物を入念に検討した結果，先に汝に申しわたされた命令へのあきらかな違反が発見された。というのは，汝はこの書物のなかで，すでに断罪され，汝の面前でその旨を宣言された前述の説を擁護しているからである。前述の書物のなかで，汝は婉曲ないいまわしをさまざまにもちい，いまだ意見をはっきりさせてはいないが可能性はあるというように思わせている。しかし，聖書に反すると定義され，宣言された説は，どうあってもたしかである可能性などないのだから，これはきわめて重大な誤りである。

そのため，われわれはふたたび汝をこの聖なる法廷に召喚し，汝は宣誓の上で取調べを受け，この書物を作成し，印刷したことを認めた。汝は，約10年ないし12年前，前述の命令がくだされたあと，問題の書物を書きはじめたこと，出版許可を要請したとき，その許可をあたえるものたちに，いかなる方法でもそのような学説を主張せず，擁護せず，教えてはならないと厳命された事実を知らせなかったことを自白した。

また汝は，前述の書物が多くの箇所で，まちがっている側のために示された論拠をあっさり読者に拒ませるどころか，どうにも説得力があると思わせるよう書かれていることを自白した。

汝は，汝の意図とはまったく異なる誤りに陥った弁解として，対話形式で記されたこと，また，たとえまちがった命題に対してでも，もっともらしい巧妙な論拠を考えだせば，誰もが一般大衆よりも自分は鋭敏であると，当然のことながら自己満足を覚えることを引きあいに出した。

さらに，抗弁を準備するしかるべき猶予があたえられると，汝は，汝のいうところによれば，汝が異端放棄の宣誓を行ない，検邪聖省から罪を償うよう命じられたという敵の中傷から身を守るために手に入れた，ベラルミーノ枢機卿猊下自筆の証明書を提出した。この証明書には，汝は異端放棄の宣誓も行なわず，罰も受けず，ただ教皇聖下によってなされ，禁書聖省によって布告された宣告がくだされたと記されている。この宣告では，地球は動き太陽は静止しているという学説は聖書に反しているため，その説を主張しても擁護してもならない，と明言されている。この証明書では，「教える」と「いかなる方法でも」というふたつの禁止命令について記載されていないため，14年ないし16年のあいだ，汝はその禁止命令についての記憶を失い，その結果，書物の印刷許可を要請した際に禁止命令について話さなかったと，われ

われが信じるのは当然であるかのように申したてた。そして汝は、こうしたことはすべて己の誤りを弁解するためではなく、悪意というよりもむなしい野心に原因があると主張している。

しかし、汝が抗弁のために提出したこの証明書は、汝の罪を重くしただけである。なぜなら、その証明書では前述の説が聖書に反していると記されているにもかかわらず、厚かましくも汝はその説を議論し、擁護し、その説が正しい可能性もあるとのべているからである。また、汝が巧みに策略をもちいて無理やり手に入れた印刷許可も、汝の助けとはならない。汝が通告された禁止命令のことを、知らせなかったからである。

また、汝が己の意図に関する真実をすべてのべたようには思われなったため、われわれは汝を厳しく審問する必要があると判断した。この審問で、汝は己の意図に従って自白した事柄、上記のとおり汝の助けにはならなかった事柄をのぞいて、カトリック教徒らしく答えた。

したがって、汝の告白、弁解、提出書類、および検討と考慮の必要があるすべての事柄に関して、本案件を慎重に考察、検討した結果、われわれは汝に対する以下の最終判決に達した。

われらが主なるイエス・キリストと、この上なく輝かしい栄光に満ちた永遠の処女マリアの聖なる御名をとなえつつ。

最終判決により、われわれの顧問である聖なる神学の尊敬すべき師と両法の博士たちの忠告と助言によって「この法廷にあった」われわれは、われわれの面前で、一方では「両法の」博士で当検邪聖省の検事であるカルロ・シンチェリ閣下、他方では汝、告訴されてここにおり、尋問され、自白し、裁かれた罪人ガリレオ・ガリレイのあいだで申したてられている事柄に関して、文書によって申しわたす。

われわれは、汝ガリレオが、裁判においてのべられた理由により、また汝が上記のように自白したことにより、汝は当検邪聖省からきわめて強い異端の嫌疑を受けたことを、宣言し、いいわたし、判決をくだし、明言する。汝は、太陽は世界の中心であって東から西に動くのではなく、地球は動き、世界の中心ではないという、神聖なる聖書に反するこの誤った学説を支持した。また、ある学説が聖書に相反するという決定がなされたあとでも、その説が正しい可能性があると主張し、擁護した。その結果、汝はこのような罪人に対し、聖なる典範とそのほかの一般法および特別法によって課せられ公布された、すべての譴責と罰を受ける。

まず第一に、誠意ある心と見せかけだけではない信仰によって、汝が異端放棄の宣誓を行ない、われわれの前で、われわれが規定した方法と形式で、使徒伝来のカトリック教会に反する上述の誤りと異端、そのほかすべてのあやまちをのろい、嫌うという条件で、われわれは罪を許すこ

とに同意する。

そして、汝の重大な誤りと有害なあやまちと違反がまったく処罰されないままであることを避けるため、また今後汝がより慎重になり、ほかのものたちが同じような罪を犯さないよう見せしめとするため、ガリレオ・ガリレイの『対話』なる書物を禁書とすることを一般法令により命じる。

われわれは、われわれが望む期間、汝が当検邪聖省の正式な牢獄に入り、汝のためとなる悔悛として3年間、週に1度、悔罪詩編をとなえるよう命じる。上述の刑罰と贖罪を軽減、変更、撤回する権限を、われわれは留保する。

われわれはここに示された方法と形式によって、またより良いものとして示された方式と形式によって、以上のようにのべ、申しわたし、判決をくだし、宣言し、明示し、留保する。

下記に署名したわれわれ枢機卿は、このように判決をいいわたした」

アスコリのF.枢機卿
G.ベンティヴォリオ枢機卿
クレモナの枢機卿D.修道士
聖オノフリオの枢機卿An.修道士
B.ジェッシ枢機卿
F.ヴェロスピオ枢機卿
M.ジネッティ枢機卿

異端放棄の宣誓

「私、フィレンツェの故ヴィンチェンツォ・ガリレイの息子ガリレオ・ガリレイ、70歳は、当法廷にて直々に審問を受け、枢機卿猊下であり、すべてのキリスト教国における異端的堕落に立ちむかう異端審問総監であるみなさまがたの前にひざまずき、眼前の聖なる福音書にみずからの手を置いています。

私は、使徒伝来の聖なるローマ・カトリック教会が真実であると考え、説き、教えているすべてのことを、これまでつねに信じてきたこと、現在も信じていること、そして神の恩寵によって今後も信じつづけることを誓います。

私は、太陽は世界の中心で動かず、地球は世界の中心ではなく動いているという誤った学説を、もはや信じてはならないという命令を検邪聖省から通告されました。また、口頭によっても文書によっても、この誤った学説を主張しても、擁護しても、教えてもならないと禁じられました。また、前述の学説が聖書に相反していることを通告されました。こうした通告のあとで、私は禁じられた学説を展開した書物を書き、印刷しました。この書物のなかで、私はこの学説を支持する非常に説得力のある論証を示し、最終的な決着をつけることをまったくしませんでした。そのため、私はきわめて強い異端の嫌疑、つまり、太陽は世界の中心で動かず、地球は世界の中

心ではなく動いているということを主張し，信じたという嫌疑を受けました。

そのため，猊下とすべての敬虔なカトリック教徒の心から，正当にも私に対していだかれたこの強い嫌疑がとりのぞかれることを願い，私は異端放棄の宣誓を行ない，誠意ある心と見せかけだけではない信仰によって，上述の誤りと異端，そしてそのほか一般的にすべてのあやまちと異端と聖なる教会に対する侵害をのろいます。私は今後，このような嫌疑がかけられるようなことを，口頭でも文書でも，二度とのべたり主張しないと誓います。また，異端者や異端の疑いがあるものに気づいたときには，当検邪聖省か居住地の教区司教に告発します。

さらに私は，当検邪聖省がすでに私に課し，今後課すことになる贖罪をきちんと遂行し，遵守することを誓い，約束します。そして，そのようなことはないですが，もし約束や誓いのうちひとつでも違反するようなことがあれば，このような罪人に対し，聖なる典範とそのほかの一般法および特別法によって課せられ公布される，どのような罪や罰にも従います。神と，私が手を置いている聖なる福音書にかけて，誓います」

異端放棄の宣誓を読みあげると，彼は十字のしるしを切り，署名した。

「私，下記に署名したガリレオ・ガリレイは，異端放棄の宣誓を行ない，誓い，約束し，履行の義務を負いました。上記にもとづき，真実であることを証明するため，1633年6月22日，ローマのミネルヴァ修道院において，私はみずからの手でこの異端放棄の宣誓書に署名し，宣誓書を一語一語読みあげました。私，ガリレオ・ガリレイは，みずからの手で，上記のように異端放棄の宣誓をしました」

この儀式が終わってから2日後に，ガリレオは釈放され，大使の保護下に置かれ，ヴィラ・メディチへ連れて行かれた。トスカナ大使のニッコリーニは，こう書き残している。

「予期していなかった処罰を受けて，彼はすっかりうちひしがれているようだった。だが本が禁書となったことについては，かなり前から予測されていたので，それほど気にかけてはいないようだ」

③戯曲の中のガリレオ

1939年に、ドイツの劇作家ベルトルト・ブレヒトは、『ガリレイの生涯』と題した戯曲を書いた。以下の抜粋では、ガリレオの人となりを通して、制度としての学芸の保護を弁護するブレヒトの、当時の科学者に対する考えが示されている。

↑コジモ2世の来訪——テアトル・デ・ナシオンで演じられた、ベルトルト・ブレヒトの戯曲『ガリレイの生涯』の一場面(1957年)

ヴェネツィア共和国を代表する執政官に、ガリレオが望遠鏡を売りこむ

執政官は望遠鏡から共和国が得ることのできそうな実利をほめそやすが、ガリレオは望遠鏡の科学的な価値をそれとなく説明する。

ガリレオ：総督閣下、議員のみなさまがた！ みなさまのパドヴァ大学の数学教授として、またみなさまのヴェネツィアの大造船所の所長として、私はつねに、教授としての気高き使命をはたすのみならず、有益な発明によってヴェネツィア共和国に特別な利益をもたらすことを、みずからの義務とみなしてきました。深い喜びとしかるべき恭順の意をこめて、本日、私はまったく新しい器具をみなさまにご覧にいれ、献上いたしたく存じます。これは望遠鏡、あるいはテレスコープと申すもので、世界に名だたるみなさまの大造船所で製作され、科学とキリスト教の最高原則にのっとったもので、みなさまの従順なしもべである私の忍耐を重ねた17年間におよぶ成果でございます。

（小声で）時間の無駄だよ！
サグレド：（小声で）でも、きみ。これで肉屋の支払いができるだろうよ。
ガリレオ：そうだな。これでお偉方は、たんまりもうかるんだから。
執政官：（演壇にのぼる）総督閣下、議員のみなさまがた！ 学芸大全書の輝かしい1ページは、またもやヴェネツィアの文字

で埋めつくされるのです。世界的な名声を得ているひとりの学者が，みなさまに，みなさまだけに，このきわめて商品価値のある円筒を献上なさいます。みなさまがお好きなようにこれを製造し，市場に出すことができるようにするためです。みなさまもお気づきでしょうが，この器具を使えば，戦争時にわれわれは敵よりも2時間早く，敵の戦艦の数と型を知ることができます。したがって，敵の戦力を見て，追跡して戦うか逃げるかを決定できるのです。それでは総督閣下，議員のみなさまがた，ガリレオ氏は彼の直感のあかしである，彼の発明によるこの器具を，彼の魅力的な令嬢の手から受けとっていただきたいと望んでいらっしゃいます。

ガリレオ：（小声で）このお祭り騒ぎを最後まで耐えることができるか，約束できないよ。お偉方は金になるがらくたを手に入れたと思っているが，これにはもっと価値があるのさ。昨夜，私はこの筒を月に向けたんだ。

サグレド：なにが見えたんだい？

ガリレオ：月は，みずから光を放ってはいない。

サグレド：なんだって？

議員たち：サンタ・ロジータの要塞が見えますよ，ガリレオ先生。あの船の上では，昼食をとっている。焼魚だ。腹が減ってきましたな。

ガリレオ：いいかね，天文学は1000年前から進歩していない。望遠鏡がなかった

↑**浮体論争**（同前）

からだよ。
議員:ガリレオ先生!
サグレド:お呼びだよ。
議員:この道具は,よく見えすぎますな。あのご婦人たちに,もうテラスで水浴してはならんと,いってやらなくては。
ガリレオ:きみは,天の川がなにでできているか,知っているかい?
サグレド:いいや。
ガリレオ:私は知っている。
議員:こういう道具なら,10エキュは請求できますな,ガリレオ先生。
ヴィルジニア:お父さま。ルドヴィコがお祝いをいいたいそうですわ。
ルドヴィコ:おめでとうございます,先生。
ガリレオ:あれを改良したよ。
ルドヴィコ:はい,先生。ケースを赤になさったんですね。オランダでは,緑でした。
ガリレオ:これを使って,ある理論を証明できるんじゃないかとまで思っているんだ。
サグレド:気をつけろよ。
議員:500エキュが手に入りますよ,ガリレオ先生。
ガリレオ:もちろん,性急な結論を出さないように十分注意するよ。
議員:ガリレオ先生,総督閣下です。
ガリレオ:本当だ,500エキュだ! ご満足いただけましたか,閣下?
総督:あいにくこの共和国では,学者たちになにがしかのものをあたえるためには,つねに議員に対する口実が必要なのですよ。

執政官は,価値のないオランダの発明品をガリレオに売りつけられたのではないかと危惧している

　ガリレオが望遠鏡による天文学的発見を友人のサグレドに証明しているとき,執政官がガリレオに説明を求めにやってくる。

ガリレオ:月は,山や谷をもつ地球かもしれない。そして地球は,星のひとつかもしれないよ。ごく普通の天体,何千もの星のひとつかもしれない。月の暗い部分は,完全に暗く見えるかい?
サグレド:いいや。注意深く見てみると,灰色の弱い光がかかっている。
ガリレオ:その光は,なんだと思う?
サグレド:?
ガリレオ:それは地球からの光なんだ。
サグレド:そんな馬鹿な。どうして地球が輝くのさ? 山や森や川がある冷たい物体なのに。
ガリレオ:月が輝くのと同じことさ。地球も月も,太陽によって照らされている。だから輝くんだ。われわれにとっての月と,月にとってのわれわれは同じものなのさ。われわれが月を見ると,あるときは弓形で,あるときは半円で,あるときは全円で,あるときは陰も形もない。
サグレド:それじゃあ,月と地球にはまったく違いがないのかい?

ガリレオ：どうやら，そうらしい。

サグレド：ひとりの男がローマで火刑に処せられてから，まだ10年もたっていないんだよ。その男の名前はジョルダーノ・ブルーノ。彼もまさしく同じことを主張していたよ。

ガリレオ：そうだね。でもわれわれは，実際に見ている。望遠鏡をのぞいてみろよ，サグレド。きみが見ているのは，天上の世界と地球にはなんの違いもないということだ。今日は1610年1月10日だね。人類は日記にこう書きしるす。天が消滅したと。

サグレド：恐ろしいことだ。

ガリレオ：もうひとつ，発見したことがあるんだ。たぶん，もっと驚くようなことだよ。

執政官：遅い時間にすみません。ふたりだけで，お話がしたいのですが。

ガリレオ：プリウリさん。私が聞けることはなんでも，サグレドさんも聞くことができるんです。

執政官：しかし，なにが起きたかをこのかたがお聞きになるのは，おそらくあなたにとって愉快なことではありませんよ。残念ながら，まったく信じられないことなんですから。

ガリレオ：私と一緒にいると，サグレドさんはしょっちゅう信じられないことに出くわすんですよ。

執政官：そうでしょうか。心配です。（望遠鏡をさして）これはまったくとんでもない道具です。こんなもの，捨ててしまってもいい。なんの役にも立たないんですから。まったくなんの役にもね。

サグレド：なぜですか？

執政官：17年間におよぶ研究の成果だとおっしゃったこのあなたの発明品は，イタリアのどんな街角でも数エキュ出せば買えることはご存知でしょう？ それに，本当はオランダ製だということも。いまこの瞬間にも，オランダの貨物船が港で500本の望遠鏡を荷降ろししてますよ！

ガリレオ：本当ですか？

執政官：先生が落ちついていらっしゃるのが，理解できませんよ。

サグレド：いったい，なにを心配なさっているんですか？ ガリレオ先生がここ数日のあいだ，この器具を使って天体の世界に関するどれほど革新的な発見をなさったかを，お聞きになってくださいよ。

ガリレオ：ご覧になれますよ，プリウリ。

執政官：よろしいですか。発見なら，もう十分です。このがらくたのために，ガリレオ先生の月給を2倍にしてさしあげたのは，私なんですよ。議員のかたがたは，この器具でここでしかつくれないものを共和国のために手に入れることができたと思っていらっしゃいますが，いざそれをのぞいてみたら，すぐそこの街角でこの筒をただ同然で売っている露天商が7倍に拡大されて見えた，などということにならなかったのは，まったくの偶然なんですから。

サグレド：プリウリさん。私はこの器具の商業的観点からの価値を判断することはおそらくできないのですが，哲学的観点か

らの価値はきわめて大きく……。

執政官　哲学的観点ですって！　数学者であるガリレオ先生が，哲学となんの関係があるんですか？　ガリレオ先生，先生は以前この町のために，ごくまっとうな揚水ポンプを発明なさいました。先生の灌漑装置は，よく機能しています。機織工たちも，先生の機械をほめそやしています。それなのに，どうしてそのようなものをつくってくださらなかったのですか？

ガリレオ：そんなにあわてることはないですよ，プリウリ。海路はいまだに遅く，危険で，費用もかかる。天空に信頼できる時計のようなものがないのです。航海の道案内のようなものがないのですよ。でも，この望遠鏡のおかげで，非常に規則正しく動くいくつかの天体がはっきり観測できると仮定することのできる根拠を得ました。プリウリ，新しい天空の地図は，何百万エキュもの航海の損失を減らすことができるかもしれません。

執政官：もう結構です。先生のお話は，十分すぎるくらい聞かせていただきました。先生は私の好意に報いるために，私を町中の笑いものになさったんです。私は価値のない望遠鏡にだまされた執政官として，人びとの記憶のなかに残るでしょう。先生は，お笑いになって当然です。500エキュを手に入れられたのですから。でも私は，こう申しあげたい。正直な人間として，申しあげたい。この世の中にはうんざりです！（ドアをばたんと閉めて立ち去る）

ガリレオ：あの男は，怒ると本当に好感がもてるよ。聞いただろう。商売にならない世の中は，うんざりなんだと！

サグレド：オランダの器具のことは，知っていたのかい？

ガリレオ：もちろんさ。うわさでね。でも，あの欲張りな議員たちのためには，2倍も良いものをつくってやったんだ。執達吏が部屋までやってくるようじゃ，仕事にならないだろう？　それにもうじき，ヴィルジニアの嫁入り衣装が必要になるはずだから。あの子は利口じゃないんだ。それに私は本が買いたい。物理学の本だけじゃなくて，まともな食事もしたいしな。うまいものを食べているとき，最高のアイデアが浮かぶんだ。ひどい時代だよ！　お偉方はワインの樽を運ぶ荷車引きにやるほどのものもくれやしない。数学の授業2時間分が，薪4荷分だよ。連中から500エキュもぎとったが，まだ借金が残っている。なかには20年前のものもあるんだ。5年間じっくり研究できたなら，すべてのことを証明したんだが！

ベルトルト・ブレヒト
『ガリレイの生涯』

④『新科学対話』

フィレンツェ近郊のアルチェトリの自宅に軟禁されていた時期に，ガリレオが書いた『新科学対話』は，3人の人物による4日間の対話の形をとっている。登場人物は，ガリレオの分身であるサルヴィアチと，アリストテレス学派を代表するシンプリチオ，そして中立的な立場をとる（合理的な論拠が示されれば納得する）良識人サグレドである。

対話は，ヴェネツィアの造船所を舞台としている。サルヴィアチが語る新しい科学は，大学で教えられているものではない。それは学者ではなく，現場監督たちの知識から着想を得たもので，実際に役だつ知識である。なぜなら現場監督たちは，嵐にあってもこわれない船をつくっているからだ。

■最初の科学——巨人はなぜ一定の身長を超えることがないのか

ある現場監督が，この3人の紳士たちにいった。
「機械の場合，小さいものをそのまま大きいものにあてはめて考えてはならない」
「たいていの設計は小さいもので成功しても，大きくすると失敗する」

サグレドはこの意見を，「まちがった世間の考え方」だといってとりあわない。しかしサルヴィアチは，そんなことはまったくない，その意見が正しいことを「幾何学的に（つまり数学によって）証明」してみせるという。世間の「格言」には正しいものもまちがっているものもあるから，きみがそれを信用しないのはもっともだ。しかし，私がこれから科学的な説明をすれば，きみも意見を変えざるを得ないだろうというのである。

そのあと，かなりのページを使って脱線気味の話が語られたあと，最初に議論となった問題，つまり「固体の部分部分がたがいにぴったりとくっつきあっている理

由を理解する」ことに立ちもどる。これは、亀裂や変形に対する抵抗力の研究で、こんにちでは材料科学とよばれているものにあたる。サルヴィアチは、巨人がなぜ一定の身長を超えることがないのかという例をあげて、数学的証明を根拠に説明する。サルヴィアチ（つまりガリレオ）はこういう。

「簡潔に説明するため、長さを3倍にとどめた骨を描いてみました。しかし厚みは、小さな動物と同じような機能を大きな動物がはたせるくらい太くなっています。大きくしたこの骨が、どれほど不釣合いなものかわかるでしょう」

それから彼は、こう結論づける。

「ですから、普通の人間の手足と同じ比率を途方もなく大きな巨人にあてはめようとすれば、もっとかたくて丈夫な材料で骨をつくるか、小柄な人間のものよりずっと耐久性のない骨であることを承知するかの、どちらかにしなければならないことはあきらかなのです。際限なく身長をのばせば、みずからの重みでたわみ、くずれおちてしまうでしょう」

そういうわけで、小型の模型をもとに丈夫な船をつくることはできないという現場監督の言葉は正しい。模型は非常に頑丈でも、船はみずからの重みでこわれてしまう可能性があるからだ。

2番目の新しい科学——力学

『新科学対話』の第2部は、のちに「物理学」と呼ばれるようになる新しい科学にあてられている。ガリレオは数ページにわたって、代弁者サルヴィアチを押しのけて自分の言葉でこう語っている。

「きわめて古いテーマに関する、まったく新しい科学を示そう。自然界において運動よりも古いものはおそらくなにもなく、哲学者たちによる運動論は数の面でも量の面でも少なくない」

材料論とは異なり、2番目の理論はテーマとしては以前からあつかわれている古いものだが、運動の概念を形成した点で新しい。この新しい科学は、なにもないところから生まれたものではない。それはすでに観察された事実、とくに物体が地表に落ちるというよく知られた事実を出発点としている。「それらの事実の証明に成功した」と、ここでもはてしなく議論することではなく、数学的に証明することの大切さが強調されている。ガリレオはこうつづけている。

「そして私がとくに重要だと思うのは、これほどまでに壮大で卓越した科学の道を切りひらくことなのです。私の業績はその端緒となるでしょう」

ここでのガリレオは、うぬぼれていて、誇大妄想狂の罠におちいりそうになっているようにも見え、実際にそう考えた人もいるはずである。しかし、数学を適用し、さまざまな実験に基礎を置き、長いあいだ(19世紀まで) 力学と同一視されてきた近代物理学は、『新科学対話』の「3日目」と

ガリレオによる速度

ガリレオは自分が考える運動の概念をすべて提示し、その定義を行なった。アリストテレスは運動を場所の変化と考えたが、これを成長(サイズの変化)や腐敗(「質」の変化)のように、物質固有の一般的な「変化」の一種だと説明していた。しかしガリレオは、運動とは物質内部の変化とは関係がなく、ある物体がある地点から別の地点へただ移動するだけのことだと主張した。

ガリレオが一からつくりだした概念のひとつに、瞬間速度がある。こんにちでは、自動車の瞬間速度は文字通りどんな瞬間でもダッシュボードの速度計で見ることができるので、ガリレオがどれほど苦心して平均速度から瞬間速度という考え方に移行したかを想像することは難しい。100キロメートルを1時間で走る自動車の平均速度は、時速100キロメートルである。しかしこれは、1時間のあいだずっと速度計の針が100キロメートルをさしているということではない。ある瞬間には50キロメートルをさしていたり、別の瞬間には120キロメートルをさしていることもある。

人類にとって、平均速度と瞬間速度の区別をつけるために何世紀もの時間が必要だったことを考えると、目がくらむような思いがする。この区別がもたらした一連の結果によって形成された技術社会に生きる現代の子どもたちは、頭を悩ませることをしなくても、すでに5歳のときからこの区別をすることができるのである。

フランソワーズ・バリバール
(物理学者)

5 相対性原理

天動説の代表的論者であるプトレマイオスは,物体が高い場所から落下したときに真下に落ちることをもって,地球が静止していることの証明とした。もし地球が動いているなら,そのぶんだけずれた場所に落下するはずだというのである。ところがガリレオは,航行中の船のマストから鉛の球を落とすという思考実験によって,その論理を否定した。彼の発見した「相対性原理」とは,ふたつの「たがいに一様に運動する慣性系」においては,物体の運動は同じ形を保つという原理である。ガリレオはこの法則を,いささか詩的に説明している。

船の甲板の上で

きみが友人と一緒に大きな船の甲板の下にある一番広い船室に閉じこもり,ハエや蝶やそのほかの飛ぶ小さな虫をそこにもちこむとします。また,水を入れてそこに小さな魚を泳がせた容器も,もっていきます。さらに小さなバケツをつるし,そこから水を一滴ずつ,その下に置かれた口の狭い別の器のなかに落とすことにします。

船が止まっているとき,小さな虫が船室のさまざまな方向へ同じ速さで飛びまわる様子を,注意深く観察してください。魚は自由にいろいろな向きに泳ぎ,水滴はみな,下に置かれた器のなかに入ります。また,きみが友人になにかを投げる場合,ある特定の方向には強く投げなければならない,ということはありません。

それらのことを注意深く観察したら,船を好きな速さで動かします。ただし,一定の速度で動かさなければなりません。先ほどあきらかになった結果のすべてが,少しも変わらないことにきみは気づくはずです。それらのどのようなことからも,船が動いているか止まっているかを知ることはできません。きみが友人になにかを投げる場合,友人が船首側にいても船尾側にいても,必要な力に違いはありません。水滴も,以前と同じく下に置かれた器のなかに落ちます。水のなかの魚も,容器の前のほうへもうしろのほうへも,同じ労力で泳ぐことができます。ハエや蝶も,方向に関係

運動の新しい定義

運動は,運動しないものとの関連においてのみ,運動であり,運動として作用します。その運動に関与するすべてのものにとっては,運動として作用しません。それは,あたかも運動していないようなものです。たとえば,船が積んでいる商品は,ヴェネツィアを出発し,コルフ島,カンディア,キプロス島をへて(シリアの)アレッポに到着すれば,そのぶんだけ動きます。ヴェネツィア,コルフ島,カンディアなどはその場所にとどまり,船と一緒には動きません。しかし,船にぎっしり積みこまれている商品の荷や木箱や,そのほかの包みと船自体の関係において,ヴェネツィアからシリアへの動きにはなんの意味もありません。荷も船もみな同じだけ動いていて,同じ運動を共有しているからです。

地球の自転への相対性原理の適用

(地球は静止していると考える)すべての人が主張するもっとも大きな理由は,重い物体が高いところから低いところに落ちるとき,地表に対して垂直に移動するから(地球は静止しているのだ)というものです。彼らはそこに,地球が動いていないことのあきらかな論拠を見いだしています。もし地球が日周運動をするなら,塔の上から石

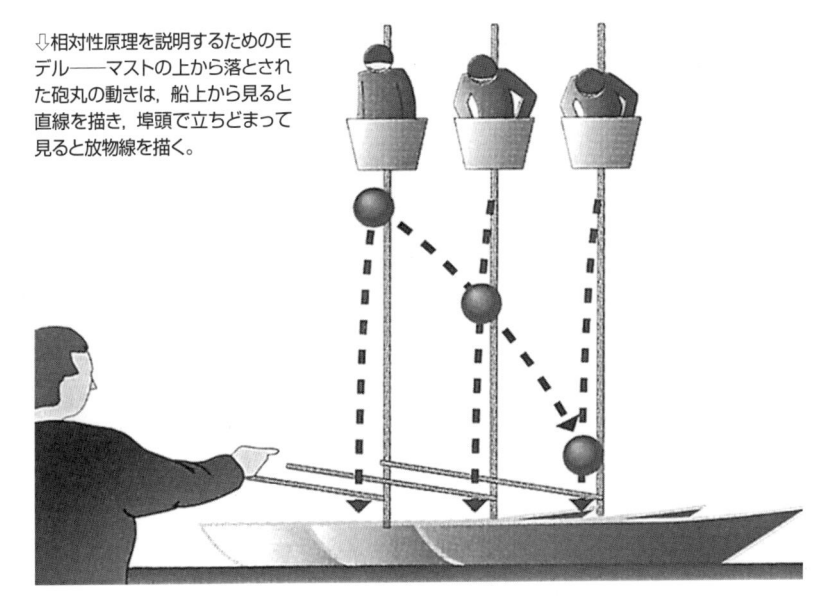

⇩相対性原理を説明するためのモデル——マストの上から落とされた砲丸の動きは,船上から見ると直線を描き,埠頭で立ちどまって見ると放物線を描く。

を落とした場合，その塔は地球の回転によって動くはずである。そのことを彼らは，別の経験によって裏づけています。停泊中の船のマストの上から鉛の球を落とし，球が落ちたマストの根元近くにしるしをつけます。そのあと，同じ場所から同じ球を，船が動いているときに落とします。そうすると，球は先ほどよりも遠い場所，球が落下する時間に船が動いたぶんだけ遠くに落ちるというのです。

ガリレオ
『天文対話』

　しかしこの論理はまちがいで，こうした意見をのべる人びとは実際に実験をしたことがないのだと，ガリレオはいう。相対性原理によって，船が止まっているならば，物体は船と同じ関係を保つはずである。つまり，鉛の球はマストの根元に落ちるはずだ。船と鉛上の球の関係は，塔と塔の上から落とされる石と同じである。地球が静止していても動いていても，石はつねに塔の下に落ちることになる。

6 ガリレオの手紙

ガリレオの手紙は,生き生きとして感動的な同時代の証言である。加えてそれは,彼が歩んだ真実の発見への道のりの,克明な中間報告にもなっている。

↑『ヴェネツィアの総督に望遠鏡の実演をするガリレオ』

グラーツのヨハネス・ケプラーへ

1597年8月,ガリレオはドイツの「同業者」ヨハネス・ケプラー(1571〜1630年)に手紙を書いた。そのころケプラーは,惑星の運動法則を発見するための研究を行なっていた。

拝啓

パウル・アンベルガーが届けてくれたあなたのご著書を,私は数時間前に受けとりました。そのパウルがドイツへ帰るというので,あなたの贈り物に対してお礼の手紙を書かなければ,どれほど失礼なことになるかと考えた次第です。(略)

あなたのご著書ですが,まだ序文だけしか拝読していません。しかしながら,あなたが意図なさっているかなりの部分をかいま見ることができました。私は真実の探求において,あなたのようなお仲間を見つけることほど,楽しいことはありません。それほどまでに,私は真実を愛しています。実際,真実に執着し,よこしまな哲学の道に足を踏みいれない人間が,これほど少ないのはあわれなことです。しかし,ここはこの時代の不幸を嘆く場所ではありませんから,むしろ真実の確認においてなされたすばらしい発見の数々を,あなたと共に祝いましょう。申しあげたいのは,私はあなたのご著書全体を——そこにはこの上なくすばらしい事柄が書かれていると確信していますから——安らいだ心で拝読する

つもりだということです。

　私は次のような事情から，大きな喜びをもってそのことをお約束します。すでに数年前から，私はコペルニクス説に考えを変えており，そのおかげで私は多くの自然現象の原因を発見しました。それらはまちがいなく，いままでの仮説では説明することができないものです。この題材に関する考察や推論や反駁はたくさん書いたのですが，われわれの師であるコペルニクス自身の運命を思うと，いまのところそれらを発表する気にはなれません。コペルニクスは少数の人びとのあいだでは不滅の栄光を確かなものとしましたが，ほかの多くの人びとのあいだでは（つまりそれだけ，おろかものが多かったということですが）愚弄され侮蔑されたのです。あなたのような人が大勢いるならば，私は自分の考察を思いきって公表することができたかもしれません。しかしそうではないので，そのような計画は引き延ばすことにしたのです。

　時間もないことですし，あなたのご著書も早く読みたいと存じますので，このあたりで筆を置きます。お体にはくれぐれもお気をつけください。そしてどうぞ，近況をお知らせください。楽しみにお待ちしています。

　　　　　　　　　　　パドヴァより
　　　　　　　1597年8月のノーナエの前日
　　　　　　　　　　　　　　　　敬具
　　　　　　　パドヴァ・アカデミー数学者
　　　　　　　　　ガリレウス・ガリレウス

■ベネデット・ランドゥッチへ

　ヴェネツィアの総督に望遠鏡の実演をしたあと，ガリレオは義弟のベネデット・ランドゥッチへ，自分の発明品に関する話を書き送っている。

　2ヵ月ほど前，オランダで（ナッサウの）マウリッツ伯に望遠鏡が献上されたといううわさが，こちらで流れました。創意工夫に富んだ望遠鏡で，それを使えば非常に遠くのものがすぐ近くにあるように見え，2マイル離れた人物がはっきり見えるというのです。

　私は（略）そのことについて考察をめぐらせた結果，それは光学にもとづく発明のように思えたので，その仕組みについて考えはじめました。そしてようやくそれに成功し，おそらくオランダのものより性能がよい，申し分ないものをつくることができました。

　このことがヴェネツィアに知らされたので，（略）6日前に私は総督閣下と元老院に呼ばれて，望遠鏡の実演を行ない，彼らを全員を，すっかり驚かせたのです。大勢の貴族や元老院議員が，高齢にもかかわらず，ヴェネツィアの高い鐘楼の階段を何度ものぼり，はるかかなたの海に浮かぶ帆船や大型船を見ようとしていました。（略）

　　　　　　　　　1609年8月29日の手紙

驚嘆した元老院議員

望遠鏡の実演が行なわれたときに居あわせた, ヴェネツィアの執政官で大学教授でもあったアントニオ・プリウリは, 熱狂的な文章を書きのこしている。

1609年8月21日, 執政官である私（ジロラモの息子アントニオ・）プリウリは, いわゆるガリレオの望遠鏡の驚異と奇妙な効果を見るため, ガリレオ氏, ピエトロ・コンタリーニ, ロレンツォ・ソランツォ, あの優秀なカヴァッリ博士と共に, サン＝マルコ広場の鐘楼へ赴いた。

鉄の筒ででき, 外側を深紅の布でおおわれた, 長さ約4分の3クデの望遠鏡には, 両端に金貨大のレンズが1枚ずつついていた。1枚は凸状で, もう1枚は凹状のレンズだった。片目を望遠鏡につけ, もう片方の目をつぶると, われわれはおのおの, リーザ・フジーナとマルゲーラの向こうに, キオッジャやトレヴィーゾやコネリアーノまではっきりと見ることができた。それから, パドヴァのサンタ・ジュスティナ教会の鐘楼と正面も見えた。また, ムラノ島のサン・ジャコモ教会に入っていく人びとや, そこから出ていく人びとの姿もはっきりと見えた。ヴェトライ運河の入口にあるコロンナで, ゴンドラに乗ったり「トラゲット（渡し舟）」から降りる人びと, そしてラグーナ（潟）や町の中心地のそのほかの部分も, 驚くほど細部まで見えた。

プラハのジュリアーノ・デ・メディチへ

1611年1月1日, ガリレオはプラハのトスカナ大使ジュリアーノ・デ・メディチへ手紙を書き, 3ヵ月前に観測した金星の満ち欠けに関する説明をしている。

おそれ多くもかしこき, いとも名高き尊敬すべき閣下。閣下と, 閣下を通してケプラー氏に, 数週間前にお送りした, つづりを入れかえた語句を解読する時期が参りました。と申しますのは, ことの真実が申し分なくあきらかとなり, 少しのためらいも疑いも, もはや残されていないからです。

つまり, こういうことでございます。私は3ヵ月ほど前から, 夕方あらわれる金星を, 望遠鏡で注意深く観測しはじめました。私の説明が, もはや疑いのないことをこの目で確かめるためです。はじめは丸く, 明瞭で, 完全な形をしていましたが, 非常に小さく見えました。太陽に対する離角が大きくなりはじめる日まで, その形は変わりませんでした。しかし, 大きさは増していきました。その後, 金星は太陽からもっとも遠い東側の部分で, 円形の輪郭を失いはじめました。数日後, 金星は完全な半円形になりました。太陽のほうへ引きさがりはじめ, 接線から遠ざかるときまで, そのような状態が保たれ, 少しも変化しませんでした。そのとき金星は半円形ではなくな

り，三日月のような姿となり，だんだんと細くなって，両端が角のように非常に薄くなったあと，すっかり姿を消しました。

次に金星があらわれるのは朝方のことで，そのときは非常に細い三日月のような姿で，両端の角は太陽と反対側を向いています。そして，太陽に対する離角がもっとも大きくなるまで少しずつ満ちていき，やがて半円形になり，その形を数日間保ちます。その後，かなり速い速度で半円から完全な円になり，全円の状態が数ヵ月間続きます。しかしその見かけ上の直径は，夕方あらわれたときの大きさとくらべて，約5倍もあります。

この驚くべき体験によって，世界中の偉大な人びとがいままで疑ってきたふたつの命題が正しかったことが，あきらかに証明されたのです。ひとつは，すべての惑星は必然的に暗黒の天体だということです（なぜなら，金星に起こることは水星にも起こることだからです）。もうひとつは，どう考えても金星は太陽のまわりをまわっているということです。水星やそのほかすべての惑星も同じです。このことは，ピタゴラス説支持者，コペルニクス，ケプラー，そして私も確信していましたが，明白な証拠がなかったのです。しかしいまや，水星や金星に関しては，明白な証拠が存在します。したがって，「書物にうずもれている」哲学者たちは，われわれを無知でほとんど常軌を逸した人間とみなし，これからもみなすことでしょうが，ケプラーやそのほかのピタゴラス説支持者たちは，自分たちが信じ，正しく省察したことを誇りにできるのです。

さて，お送りしたアナグラムは次のような文章でした。「Haec immatura a me iam frustra leguntur O.Y.」。これを正しい順序に並びかえると，こうなります。「Cynthiae figuras aemulatur mater amorum」。つまり，「愛の母（金星）は，ダイアナ（月）の姿をまねている」という意味です。

3日前の夜，私は食を観測しました。注目に値したのは，陰の部分の境界線が霧でつつまれたように不明瞭でぼんやりしていたことです。その原因は，その部分から地球が非常に遠い場所にあることに由来します。

ほかにもこまかいことをいろいろ書きたいのですが，何人かの紳士に長い時間引きとめられたので，もうかなり遅い時刻になっています。そろそろ筆を置かなければなりません。（略）いとも名高き閣下，心よりのごあいさつを申しあげます。神が閣下に至福をあたえんことを。

フィレンツェより，1611年1月1日
ガリレオ・ガリレイ

トスカナ大公妃クリスティーナ・ディ・ロレーナへ

ガリレオは，聖書に異議をとなえていると非難されたとき，トスカナ大公妃へ長い手紙を書き，神学と科学がなぜ

両立できるかを説明した。彼にとって聖書の記述は，宇宙とはまったく別の世界に属するものだったのである。

　天文学は，まさしくそうした学問のひとつです。聖書には，太陽と月，そして「明けの明星」という書き方で金星が1〜2回出てくる以外は，惑星の名前さえ登場しないほど，そうした事柄についてほとんど触れられていません。したがって，もし聖書の著者たちが人びとに天体の配置や運動について教えるつもりで，われわれもまた聖書からそれらの知識を学ばなければならないのなら，彼らがこうした事柄にこれほどわずかしか触れなかったということはないはずです。この科学は，聖書にほんの少ししか記されていないものとは到底比較できないほど，無数のすばらしい命題をもち，あきらかにしているのです。（略）

　以上のことから，必然的に次のような結論が導きだされます。聖霊は，天が動いているか静止しているか，その形が球体なのか円盤状なのか，それとも平面に広がっているのか，さらには，地球は天の中心にあるのか，それとも天の周辺のどこかに位置しているのかを，われわれに教えようとはなさいませんでした。そして，同じ種類のほかの命題についても，われわれに確信をいだかせるおつもりがなかったのです。それらの命題は先ほど触れた問題と密接な関連性があり，それらの問題にまずは答えなければ，ほかのことを決めることはできません。つまり，地球や太陽が動いているか静止しているか，ということに関する命題です。

　ところで，もし聖霊ご自身が，みずからのご意向，つまりわれわれの救済ですが，その救済とはなんの関係もないそのような命題をわれわれに教えることを故意に怠ったのだとすれば，どうしていま，このテーマに関するふたつの命題のうち，一方が正しく，もう一方がまちがっていると絶対的に断言する必要があるのでしょうか。（略）

　この点に関して，きわめて高い地位にいらっしゃる，ある聖職者からうかがった言葉を申しあげたいと存じます。それは，聖霊のご意向は，われわれがどのようにして天界へ行くかを教えることであって，天界がどのように動いているかを教えることではないということです。

7 アインシュタインが見たガリレオ

亡くなる2年前の1953年に，アインシュタインは『天文対話』の最初の英語版の序文を書くことを要請された。彼は近代物理学を創設したこの本を称賛していたが，その限界に目をつぶることなく，さらにはガリレオの研究者としての弱点についても，率直な批判を行なっている。

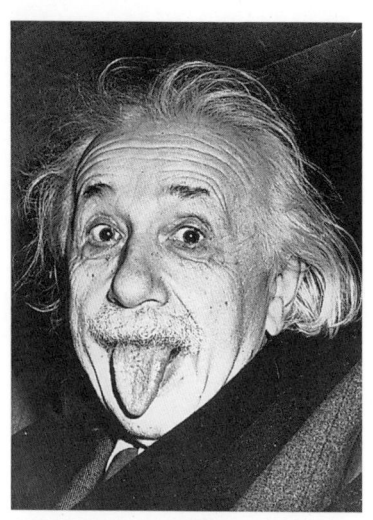

↑アインシュタインの写真——「いずれにせよ，相対性理論を擁護するために，私が同じようなことをするところなど想像もできない。真実は私自身よりもはるかに重要だと考えるからだ」(ガリレオ裁判に関するアルベルト・アインシュタインの言葉)

われわれは(『天文対話』のなかに)，情熱的な意思と，知性と，合理的な思考の代表者としての態度を明確にし，民衆の無知と権力の座にしがみつく聖職者の怠惰に乗じる連中に逆らう勇気のある，ひとりの男を見いだす。(略)

彼は同時代人たちの人間中心的で神話的な思想を超え，ギリシア文化の絶頂期以降に人類が失った宇宙の客観的で原因的な概念に彼らを立ちもどらせることに成功した。

このようにいってみて，私はすぐに，自分があまりにも広まっている悪い癖に陥っていることに気づく。それは自分たちのヒーローに行きすぎた愛情をいだき，その人物像をおおげさにいいたててみせる人びとの癖である。反啓蒙主義の時代の(略)精神の麻痺がすでにすっかりおさまってしまい，(略)いずれにせよ，時代遅れの知的伝統の束縛は，ガリレオのことにせよそうでないにせよ，もはやこれ以上持ちこたえることができないのかもしれない。(略)

ギリシアの天文学者たちが考えた子どもじみたこの体系(プトレマイオス体系)を非難すべきではない。彼らは，星の動きを想像するために幾何学的な構造を利用したが，それは観念的で，しだいに複雑になっていった。力学が存在しなかったので，人びとは(見かけ上の)複雑な運動をすべて，もっとも単純だと思われる運動に還元しようとした。(略)(また，ガリレオが円運動に，まさしく自然の運動として

相当こだわっていたことにも、われわれははっきりと気づく。そのため彼は、慣性の原理——この原理に従えば、どのような力も作用しない物体は、運動の状態をそのまま保つ——とその重要性を完全に認めることができなかったのである）（略）

これらの新しい知識はすべて、すでにだいたいのところ、少なくとも質的に、のちにニュートンがつくりあげる理論の基礎に含まれている。しかしガリレオに欠けているものは、なによりもまず、慣性の原理の一般的な定式化である。彼は既知の事項を拡大適用することで、この原理を確立することができたはずなのだ。（略）また彼には、とくに、ある天体の素材がその天体の表面で落下の加速の原因となりうるなら、その同じ素材は別の天体に加速を伝える状態にあるはずだという見方が欠けていた。（略）

もっともな論拠によって、地球が宇宙の中心にあるという発想を認めないことは、地球が静止しているという発想、より一般的には、地球が特別な地位をしめているという本質的な説明もしりぞけることだった。

ここでアインシュタインは、問題になっている論拠を列挙する。

これらの論拠がどれほどしっかりしていても、とくにそれらの論拠を、木星とその衛星がミニチュアのコペルニクス体系のように見えるというガリレオによって発見された事実と関連させたとき、どれほど確固としたものであっても、これらの論拠はすべて質的なものでしかないことに変わりはない。（略）

質を超えてコペルニクス体系を強化するために、彼は惑星の「本当の軌道」を決定することに考えがおよばなかった。それはほとんど解けないと思われていた問題だったが、ガリレオの時代にケプラーが、文字どおりそれを見事な方法で解いていたのである。こうした決定的な進歩がガリレオの業績のなかに少しも痕跡を残していないという事実は、偉大な人物がそれほど感受性をもっていないこともあるということを、奇妙な形で示している。

アルベルト・アインシュタイン
『選集』

8 ガリレオの娘の証言

ガリレオの娘ヴィルジニアは，ガリレオと内縁のヴェネツィア女性のあいだに生まれた。そのため，娘を結婚させることができないと考えたガリレオは，ヴィルジニアが13歳のときにアルチェトリのサン・マッテオ修道院に入れた。アルチェトリはフィレンツェ近郊の村で，そこにガリレオは家を買い，裁判後にはその家に軟禁された。修道女マリア・チェレステとなったヴィルジニアが修道院から父に送った手紙は，当時の修道女の日常を伝える貴重な資料となっている。またそれらの手紙には，驚くほど細やかな愛情表現を見ることもできる。

1633年2月26日　ガリレオがローマへ行った直後

ローマに到着なさったというお手紙をまだ受けとっていないので（私が父上のお手紙をいまかいまかとお待ちしていることは，ご想像できることと思います），お知らせがないことで私がどれほど激しい不安にさいなまれているかをお伝えするために，もう一度お手紙をさしあげることにしました。（略）庭のブドウの木は，月の相もよくなり，ジュゼッペの父親が世話をしてくれるようになったので，以前にも増して成長しています。（略）レタスも見事な出来だということで，悪くなる前に，ジュゼッペに市場へ売りに行かせることにしました。父上が栓を抜かれたばかりで残していかれたワインの樽は，ロンディチェッリさんが毎朝少しずつ持っていかれ，すでに申し分のない品質のワインに手を加え，さらに改良するつもりだとおっしゃっています。

⇧アルチェトリのガリレオの家

1633年4月20日：4月12日にガリレオが異端審問所の尋問を受けた8日後

ジェリさんが，こともあろうに父上が異端審問所の検邪聖省の部屋に勾留されて以来，強いられている厳しい状況を知らせてくれました。父上のお心がほとんど休まることもなく，お体の最低限の快適さも奪われていることを思って，私は深い悲しみに沈んでいます。しかし一方で，当局が父上を釈放する前には，どうしてもこのような段階を踏まなければならないのですから，（略）神の助けによって幸運な勝利がまもなくやってくることを期待しながら，みずからをなぐさめています。（略）とにかく勇気をお持ちになって，あまりあれこれと心配なさることで健康を損なわないようにしてください。

⇧ガリレオの娘の修道女マリア・チェレステ

1633年5月7日

私はただ，父上の身に起きていることがどれほど私の気にかかり，それらの私への影響をお伝えすることでどれほど私が心配しているかを，もっと父上に理解していただきたいだけなのです。そうした影響は，たしかに一般的に，すべての子どもがもっているはずの，そしてもつべきである，子としての敬愛によって説明することができるとは思いますが，私のなかでは特別に強いものであることをあえてはっきりと申しあげます。最愛の父上に対していだいている愛と尊敬の強さにおいて，私は大多数の娘に勝っていることを，少々誇らしく思うほどです。幸いにも，娘に対する愛情の強さにおいて，父上もまた大多数の父親に勝っていることを，私はつねづね感じています。私が申しあげたいことは，それだけです。

1633年7月2日：判決がくだる

父上のあらたな苦しみの知らせがあまりにも突然で思いがけないことだったので，私はほとんど耐えられないくらい激しい苦痛にさいなまれています。ついにくだされた判決が，著書だけでなく父上ご自身のことも非難していることを聞いて，私の心は張り裂けそうです。

最愛の父上さま。いまこそ，主なる神が授けてくださった慎重さを，かつてないほど発揮なさるべきときです。

ガリレオ略年譜

年	おもな出来事
1540	イエズス会が創設される。
1543	コペルニクスが『天球の回転について』を出版する。
1564	2月15日にイタリアのピサ郊外で生まれる。
1581	ピサ大学医学部に入学する。
1583	「振り子の等時性の法則」を発見する。
1589	ピサ大学の数学講師に就任する。
1590	ピサの斜塔で落体の実験を行い、「落体の法則」を発見する。
1591	父ヴィンチェンツォが死去する。
1592	パドヴァ大学の数学教授に就任する。
1600	コペルニクス説を支持した哲学者ジョルダーノ・ブルーノが、異端審問所によって火刑に処される。
1603	チェシ公爵がアカデミア・デイ・リンチェイを創設する。
1606	コンパスの使用法を書いた小冊子を制作する。
1609	5月にオランダの眼鏡師が望遠鏡を作ったというニュースを聞き、自分で望遠鏡を製作する。 8月にヴェネツィアの鐘楼の上で元老院議員たちに望遠鏡を披露する。 ケプラーが『新天文学』を出版する。
1610	30倍の倍率を持つ望遠鏡を完成させる(ガリレオが製作した5番目の望遠鏡)。 3月に『星界の報告』を出版する。 6月、ボローニャ大学マジーニ教授の助手であるホーキーがガリレオを中傷する小冊子を発行する。 8月、フィレンツェ人のシッツィ(実際にはピサ大学の教授陣)から、『星界の報告』への反論が起こる。 11月、トスカナ大公国での公的な地位を得、パドヴァからフィレンツェに引っ越す。
1611	4月にカトリック教会の神学者ベラルミーノ枢機卿が、クラヴィウスに対してガリレオの観測に関するローマ学院の意見を公式に求める。

1612	アカデミア・デイ・リンチェイの会員となる。 1月に『太陽黒点に関する手紙』を出版する。 5月に『水に浮く物体または水中を移動する物体に関する論考』を出版する。 クラヴィウスが死去する。
1613	3月に『太陽黒点に関する沿革と証明』を出版する。
1616	異端審問所から地動説を公然と擁護することを禁じられる。
1623	『偽金鑑識官』を出版する。 マッフェオ・バルベリーニ枢機卿が、ローマ教皇ウルバヌス8世となる。
1632	『天文対話』を出版するが、即座に発禁処分となる。
1633	異端審問所から終身刑を言い渡される。1年後に釈放され、フィレンツェ近郊のアルチェトリの自宅に住むことを許される。
1638	最後の著書『新科学対話』をオランダのアムステルダムで出版する。
1642	1月9日にアルチェトリで死去する。 12月にアイザック・ニュートンが誕生。
1659	オランダの天文学者クリスチャン・ホイヘンスが『土星の体系』を出版し、ガリレオによる観測結果から土星には環があることを発表する。
1666	フランス科学アカデミーが設立される。 ニュートンが微積分法、光学（色彩論）、万有引力の法則を発見する（驚異の年と呼ばれる）。
1672	パリ天文台が完成する。
1686	ニュートンが『自然哲学の数学的原理（プリンキピア）』の初版を発行する。
1822	カトリック教会が、地球が太陽の周りを回っていることを公式に認める。
1989	木星観測を目的として探査機ガリレオが打ち上げられる。

INDEX

あ ▼

アインシュタイン 128・129
アカデミア・デイ・リンチェイ 70・72
アストロラーベ 102
アポロ 43
アポロ10号 45
アポロ11号 38
天の川 46・47
アーミラリー天球儀 25
アメリカ航空宇宙局（NASA） 49
アリストテレス 17・24・25・57・64・72・73・77・90・98・117・119
アルキメデス 74
『アルマゲスト』 27
イエズス会 18・57・65・70・76〜78・90
イオ 51
異端審問所 16・19・24・72・81・83・84・90〜92・94・95・107・131
異端放棄 81・107・110・111
ヴォイジャー 49・50
ウルバヌス8世 75・88・89・92
エウロパ 49・50
オルシーニ枢機卿 91

か ▼

科学アカデミー 67
カステリ神父 82・83
カッシーニ（探査機） 49
カッチニ 83・84・90
ガニメデ 49・51
カリスト 51
『ガリレオ・ガリレイ全集』 6・8・10
ガリレオ裁判 94〜106
幾何学的・軍事的コンパス 22
『熊のバラ』 78
クラヴィウス 65・67・69・70・76・85・86
クリスティーナ大公妃 82・83・90・91・126
クレーター 38・40・43・50
月下界 41・87
ケプラー 31・64・65・67・123・125・126・129
元老院 33・34・125

コジモ・デ・メディチ 25
コジモ2世・デ・メディチ 53〜56・73・75・82・91・93・94・112
コペルニクス 15・19・23〜25・27・29・35・68・69・79・82〜86・88・92・93・106・107・126
コペルニクス説 51・65・68・69・82・86・89・90・92・93・124
コペルニクス体系 29・31・129
コルベール 67
コロンベ 73〜75・77・83・90
ゴンザーガ枢機卿 73

さ ▼

サグレド 57・61・93・113〜115・117
サルヴィアチ 93・117・118
サルピ 18・76
サンタ・マリア・ソプラ・ミネルヴァ修道院 94・106・111
サン・ピエトロ大聖堂 70・89
シッツィ 63
シャイナー神父 77〜79
十人会議 18
シューメーカー・レヴィ第9彗星 49
ジュリアーノ・デ・メディチ 125
ジョヴィラーベ 11
『新科学対話』 57・98・117・118
『新天文学』 64
シンプリチオ 93・117
『星界の報告』 33・35・37・38・43・46・47・53・56・57・64・65・68〜70・74・102・104・105
接眼レンズ 32
相対性原理 120〜122
対物レンズ 32

た ▼

太陽黒点 77〜79・87・106
『太陽黒点に関する沿革と証明』 78
『太陽黒点に関する手紙』 77

INDEX

探査機ガリレオ　49
チェシ公爵　70
地球照　40・41
『地球の可動性と太陽の不動性に関するピタゴラスとコペルニクスの意見についての手紙』　86
地動説（太陽中心説）　15・23・24・90・102
『通俗天文学』　69
ティコ・ブラーエ　31・64
ティコ・ブラーエ体系　31
デルチ　73・82
『天球の回転について』　29
天上界　41・87
天動説　24・27・120
『天文対話』　41・45・93・94・122・128
『土星の体系』　67
ドミニクス　77
ドミニコ会　24・76・77・83・91・94・106
トレント公会議　85

な ▼

ナントの勅令　67

『偽金鑑識官』　5・68・92
ニッコリーニ　111
ニュートン　64・129

は ▼

パイオニア11号　49
パウルス5世　70・76
パドヴァ大学　16・22・29・54・74・112
バルベリーニ枢機卿（ウルバヌス8世）　73・75・76・79・84・92
ピサ大学　56・59・62・63・73・74・82・83
ピサの斜塔　59
ピタゴラス　126
フェルディナンド　93
フォスカリーニ　86
浮体論争　75・113
プトレマイオス　24・25・27・84・93・120
プトレマイオス体系　27・31・68・128
『プトレマイオスとコペルニクスの二大世界体系に関するガリレオ・ガリレイの対話』　108
フラマリオン　69
ブリウリ　125
振り子時計　67
ブルーノ, ジョルダーノ　19・24・72・90
ベネディクト会　82
ベラルミーノ枢機卿　70・72・76・77・84～86・90～92・107・108
ベルニーニ　89
ホイヘンス　62・63
ホーキー　62・63
ボローニャ大学　62・63

ま ▼

マキャヴェッリ　62
マジーニ　62・63
マリア・チェレステ　130・131
『水に浮く物体または水中を移動する物体に関する論考』　74・75
ミネルヴァ修道院　94・106・111
メディチ星　53～55・62・63・82
モチェニーゴ　19
モロシーニ　18・19

や・ら ▼

揚水機復元模型　7
ローマ学院　70・86・90
リッチ　59
ロリーニ神父　77・83・84・90
ロレンツォ・デ・メディチ　62

出典(図版)

【表紙】

表紙●『ガリレオとヴィンチェンツォ・ヴィヴィアーニ』(部分) ティト・レッシ画 カンバスに油彩 19世紀 科学史博物館 フィレンツェ

背表紙●コペルニクス体系(部分) ケラリウス『天界図』所収 1660年 フランス国立図書館 パリ

裏表紙●月の位相 ガリレオのデッサン 『星界の報告』所収 1610年 国立図書館 フィレンツェ

【口絵】

5●ガリレオの肖像 オッタヴィオ・レオーニのデッサン 1624年 マルチェッリアーナ図書館 フィレンツェ

6●ガリレオ直筆の力学の図 『ガリレオ・ガリレイ全集』所収

7●揚水機(部分) ガリレオ案の復元 1842年 科学史博物館 フィレンツェ

8●ガリレオ直筆の月の山々のスケッチ 『ガリレオ・ガリレイ全集』第3巻所収

9●ガリレオの望遠鏡のレンズ 1610年に木星の衛星を観測したときのもの 科学史博物館 フィレンツェ

10●1610年の木星の衛星の観測に関するガリレオ直筆のメモ 『ガリレオ・ガリレイ全集』第3巻所収

11●ジョヴィラーベ ガリレオがつくった器具 木星の衛星のそれぞれの動きを計算するために使われたもの 科学史博物館 フィレンツェ

13●『ガリレオとヴィンチェンツォ・ヴィヴィアーニ』(部分) ティト・レッシ画 カンバスに油彩 19世紀 科学史博物館 フィレンツェ

【第1章】

14●『ヴェネツィア総督に望遠鏡の実演をするガリレオ』 レオナルド・ドナーティの絵画 1858年 ヴィレ・ポンティ ヴァレーゼ

15●天文学 マクローベの作品のイラスト 木版画 1513年

16上●パドヴァ大学の正面 版画 17世紀

16下●滑車装置のデッサン 『新科学対話』所収 1638年 ガリレオの原稿の複製 国立図書館 パリ

17●『ヴェネツィアの造船所における船の建造』 画家不詳の絵画 17世紀 コッレール博物館 ヴェネツィア

18/19●ヴェネツィア全景 G.ブラウン&F.ホーエンベルク『世界都市図集成』所収 版画 17世紀前半 フランス国立図書館 パリ

19下●アンドレア・モロシーニの肖像 アンドレア・モロシーニ『1521年から1615年までのヴェネツィア史』の口絵(部分) 同上

20●黄道帯における土星の位置を測定するための天文

出典(図版)

器具 同上
21●昼の時間を測定し,天文学的な出来事が起きる時刻を決定するための天文器具 アピアヌス『天文学教科書』所収の版画 1540年 天文台図書館 パリ
22上●ガリレオの著書『幾何学的・軍事的コンパスの操作』の手書きの複製の本扉 国立図書館 フィレンツェ
22/23●ガリレオの幾何学的コンパス 写真 科学史博物館 フィレンツェ
23●天文学 マクローベの作品のイラスト 木版画 1513年
24上●アーミラリー天球儀 イタリア 1564年 科学史博物館 フィレンツェ
24下●ジョルダーノ・ブルーノの肖像 フランス国立図書館 パリ
25●プトレマイオスとコペルニクスの宇宙論 版画 1651年
26/27●プトレマイオス体系 ケラリウス『天界図』所収 1708年 フランス国立図書館 パリ
27●プトレマイオスの肖像 作者不詳の版画 18世紀 フランス国立図書館 パリ
28/29●コペルニクス体系 ケラリウス『天界図』所収 1660年 同上
29●コペルニクスの肖像 作者不詳の版画 18世紀 同上
30/31●ティコ・ブラーエ体系 ケラリウス『天界図』所収 1708年 同上
31●ティコ・ブラーエの肖像 作者不詳の版画
32●ガリレオの望遠鏡の接眼レンズ 1610年 科学史博物館 フィレンツェ
32/33上●ガリレオの望遠鏡 1610年 同上
32/33下●ガリレオの望遠鏡の説明図 『星界の報告』所収 1610年 フランス国立図書館 パリ
34●『ヴェネツィアの総督に望遠鏡の実演をするガリレオ』 サバテッリ・ルイジの絵画 ガリレオ講座 フィレンツェ
35●テラスに展示された,ガリレオが使った望遠鏡とそのほかの器具 サン=マルコ エリック・レシング撮影の写真

【第2章】

36●『天体観測』 ドナート・クレティの絵画 ヴァチカン絵画館 ローマ
37●ガリレオの望遠鏡 科学史博物館 フィレンツェ
38●月の写真 アポロ11号のミッション NASA ワシントン
39●月の位相 ガリレオのデッサン 『星界の報告』所収 1610年 国立図書館 フィレンツェ
40/41●月 同上
42/43●月面のクレーター NASA ワシントン
44●地球の輝き 同上
45●月光 バハ・カリフォルニア州で撮影された写真 メキシコ
46●天の川 S.ヌマザワ

出典(図版)

撮影の写真
47●プレセペ星雲 ガリレオのデッサン 『星界の報告』所収 1610年 フランス国立図書館 パリ
48/49●木星とガニメデ 探査機カッシーニが撮影した写真 NASA ワシントン
50●木星とその衛星 ガリレオのデッサン 『星界の報告』所収 1610年 国立図書館 フィレンツェ
50左上●エウロパ 探査機ヴォイジャー2号が撮影した写真 NASA ワシントン
50右上●イオ 同上
51左●ガニメデ 同上
51右●カリスト 同上

【第3章】

52●『星界の報告』の口絵 1610年 フランス国立図書館 パリ
53●『コジモ2世・デ・メディチ』クリストファノ・アッローリ画とされる絵画 カンバスに油彩 1620年 フィレンツェ美術館 フィレンツェ
54/55●フィレンツェの眺め G.ブラウン『都市の舞台』所収 1572年 フランス国立図書館 パリ
55●メディチ星をあしらったメディチ家のマーク 本に印刷されたしるし ピエトロ・チェッコンチェッリ 同上
56/57上● 斜面の実験 ベッツォーリのフレスコ画 スペコラ動物博物館 フィレンツェ
56/57下● 斜面 18世紀 科学史博物館 フィレンツェ
58●ピサの斜塔の頂上 エリック・レシング撮影の写真
59●ピサの斜塔の眺め 同上
60/61●アルチェトリのガリレオの部屋 同上
62●ジョヴァンニ・マジーニの肖像 アキッレ・ベルタレッリ市立版画コレクション
62/63●ピサ大学のラ・サピエンツァ館の中庭 ブルーノ・サントッキの版画 ピサ大学史料館
63●『星界の報告に対する (略) 4つの問題』の本扉 (部分) マルティン・ホーキー フィレンツェ 1610年 個人蔵
64上●1580年から96年にかけての火星の運動 ヨハネス・ケプラー『新天文学』所収 1609年 天文台図書館 パリ
64下●『ケプラーの肖像』画家不詳の絵画
65●『クリストファー・クラヴィウスの肖像』カンバスに油彩 画家不詳 1612年 ウフィツィ美術館 フィレンツェ
66上● 土星の環 版画 『土星の体系』所収 1659年 天文台図書館 パリ
66下● 2月24日の観測 版画 ホイヘンス『土星の体系』所収 1659年 同上
67●クリスチャン・ホイヘ

········出典(図版)········

ンス エドランクの版画
68◉金星の位相の見かけの等級と大きさ ガリレオのデッサン 『偽金鑑識官』所収 1623年 国立図書館 フィレンツェ
68/69◉金星の位相 合成写真
69◉金星の位相の比較上の等級と大きさ 版画 カミーユ・フラマリオン『通俗天文学』所収 フランス国立図書館 パリ
70下◉『アカデミア・デイ・リンチェイの創設者フェデリコ・チェシの肖像』画家不詳の絵画 オルシーニ館 ローマ
70上◉アカデミア・デイ・リンチェイ会員の紋章 画家不詳のデッサン アカデミア・デイ・リンチェイ史料館
71◉ローマのサン＝ピエトロ大聖堂でのミサ 画家不詳の水彩画 18世紀 装飾芸術図書館 パリ
72/73◉ガラス製の水てんびん 17世紀 科学史博物館 フィレンツェ
73◉ガリレオとコジモ・デ・メディチ ジュゼッペ・ベッツォーリのフレスコ画 スペコラ博物館 フィレンツェ
74上◉ガリレオのデッサン 『水に浮く物体または水中を移動する物体に関する論考』所収 1612年 フランス国立図書館 パリ
74下◉『ガリレオ・ガリレイ氏の論文に対する（略）ルドヴィコ・デレ・コロンベ氏の反論への回答』の本扉（部分） フィレンツェ 1615年 『ガリレオ・ガリレイ全集』所収
75◉『マッフェオ・バルベリーニ枢機卿の肖像』 カラヴァッジョ画 カンバスに油彩 1599年 個人蔵
76◉カルタ・デラ・カテナの複製 1470年ころ コメエラ美術館 フィレンツェ
77◉『侮辱されるキリスト』（部分） フラ・アンジェリコのフレスコ画 サン＝マルコ美術館 フィレンツェ
78◉クリストファ・シャイナーによる太陽黒点の地図作成 版画 17世紀
79上◉太陽黒点 ガリレオのデッサン 『太陽黒点に関する沿革と証明』所収 1613年 ガリマール史料館
79下◉太陽黒点の描写 シャイナー『太陽黒点論』所収の版画 フランス国立図書館 パリ

【第4章】

80◉ススステルマンスによる2枚目の『ガリレオの肖像』の複製 絵画 1640年 ピッティ宮殿 フィレンツェ
81◉調書の原本下部のガリレオの署名 『ガリレオ・ガリレイ全集』第19巻所収
82◉『クリスティーナ・ディ・ロレーナ』 シピオーネ・プルツォーネ画 カンバスに油彩 ウフィツィ美術館 フィレンツェ
83◉『ベネデット・カステリの肖像』 カンバスに油

出典(図版)

彩 画家不詳 1640年 同上
84●『ベラルミーノ枢機卿の肖像』 アンドレア・ポッツォ画 カンバスに油彩 聖イグナツィオ教会 ローマ
84/85●『トレント公会議』 ティツィアーノ派の絵画 ルーヴル美術館 パリ
86●『地球の可動性と太陽の不動性に関するピタゴラスとコペルニクスの意見についての手紙』の口絵 P.A.フォスカリーニ 1615年 天文台図書館 ナポリ
87●『世界の7つの時代に関する本』から抜粋されたページ 15世紀末 羊皮紙 ベルギー王立図書館 ブリュッセル

88/89●ローマ,ポポロ広場の眺め ウーテルス・カヴァリエの版画 フランス国立図書館 パリ
90/91●『地球の運動の理論をローマの異端審問所の審問官たちに説明するガリレオ』 カンバスに油彩 画家不詳 1859年 アリエ城 イタリア
92●『偽金鑑識官』の口絵 ヴィラメーナの版画 1623年 フランス国立図書館 パリ
93●ガリレオ『天文対話』の口絵 1632年 個人蔵
94/95●『ヴァチカンの検邪聖省に立ちむかうガリレオ』 ジョゼフ・ロベール=フルリの絵画 1847年 ルーヴル美術館 パリ
96/97●『ガリレオ裁判』

画家不詳の絵画 17世紀 個人蔵 ニューヨーク
98●『新科学対話』の手書きの原本の複製から抜粋されたデッサン 1638年 国立図書館 フィレンツェ
99●『新科学対話』の手書きの原本の複製 1638年 同上
100●ガリレオの仕事机 エリック・レシング撮影の写真

【資料篇】

101●ガリレオによる木星とその衛星の図 『ガリレオ・ガリレイ全集』所収
102●アストロラーベ ガリレオが使っていたと思われるもの 16世紀末 科学史博物館 フィレンツェ

104●オリオン座 ガリレオのデッサン 『星界の報告』所収 1610年 フランス国立図書館 パリ
105●プレアデス星団 同上
106●サンタ・マリア・ソプラ・ミネルヴァ修道院 作者不詳の版画 同上
107●ガリレオによる異端放棄の宣誓 カヴァーニ監督の映画『ガリレオ・ガリレイ』から抜粋された写真 1968年
112●コジモ2世の来訪 ベルトルト・ブレヒトの戯曲『ガリレイの生涯』の一場面 テアトル・デ・ナシオン 1957年
113●浮体論争 同上
121●動いている船のマストの上から落とされた砲丸

出典(図版)

の動きに適用された相対性原理 コンピュータグラフィックス
123● 『ヴェネツィアの総督に望遠鏡の実演をするガリレオ』 サバテッリ・ルイジの絵画 ガリレオ講座 フィレンツェ
128● アルベルト・アインシュタイン 72歳の誕生日 AFP パリ
130● アルチェトリのガリレオの家 コメエラ美術館 フィレンツェ
131● 『修道女マリア・チェレステの肖像』 ガリレオの娘 画家不詳の絵画 ヴィラ・ガルレッティ トーレ・デル・ガッロ

CRÉDITS PHOTOGRAPHIQUES

AFP 123. AKG-images 53. Alinari-Roger Viollet, Paris 125. Archives Gallimard 32-33b, 47, 50m, 52, 74h, 74b, 79h, 79b, 81, 93, 100, 114, 122, 124. Association française d'astronomie, Paris 68-69. Bibliothèque de l'Observatoire, Naples 86. Bibliothèque nationale, Florence couv. 2e plat, 16b, 39, 98, 99. BnF, Paris 19b, 24b, 27, 30-31, 31, 54-55, 88-89, 129. Bibliothèque royale de Belgique 87. Bridgeman-Giraudon 5. Bulloz 84-85. Castello di Agliè, Italie 90-91. Ciel et espace/ APB/ S. Numazawa 46. Civica Raccolta delle stampe Achille Bertarelli 62. Cliché Gallimard, Paris 16h, 18-19, 20, 55, 63, 66b, 66h, 68, 69b, 92, 104. Cosmos/SPL 25, 45, 48-49, 78. Dagli Orti, Paris 71. Droits réservés 64b, 107. Edimédia, Paris 94-95, 106. Explorer Archives, Paris couv. dos, 26-27, 28-29.
Ph. Fineider 80. Giraudon, Paris 17, 36. Magnum/ Erich Lessing, Paris 35, 58, 59, 60-61, 96-97, 100, 120. Musée d'Histoire de la Science, Florence 7, 9, 11, 13, 22, 22-23, 23, 24h, 32, 32-33b, 56-57b, 65, 72-73b, 83, 103. Museo di storia naturale della Specola, Florence 73. Nasa, Washington 44. Observatoire de Paris 64h. Photri, Alexandria, Virginie 38, 42-43. 50hg, 50hd, 51g, 51d. Roger Pic, Paris 109, 111. Roger-Viollet, Paris 67. Oscar Savio 70. Scala, Florence couv. 1er plat, 13, 34, 37, 40-41, 56-57h, 75, 76, 77, 82, 84, 105, 117, 130. Villa Andrea Presso, il centro congressi, Ville Ponti, di proprietà della camera di commercio di Varese 14, Università di Pisa 62-63.

································参考文献································

『ガリレオの生涯』(1〜3) スティルマン・ドレイク著 田中一郎訳 共立出版 (1984〜85年)
『ガリレオの生涯』 シテクリ著 松野武訳 東京図書 (1986年)
『ガリレオ・ガリレイ』 青木靖三著 岩波書店 (岩波新書評伝選) (1994年)
『ガリレオ』 田中一郎著 中公新書 (1995年)
『世界の名著26 ガリレオ』 中央公論社 (中公バックス) (1970年)
『人類の知的遺産31 ガリレオ』 伊東俊太郎著 講談社 (1985年)
『ガリレオと近代科学の誕生』 M.サジェット著 大橋一利訳 玉川大学出版部 (1992年)
『ガリレオ・ガリレイ』 オーウェン・ギンガリッチ編 ジェームズ・マクラクラン著 野本陽代訳 大月書店 (2007年)
『ローマのガリレオ』 W.シーア/M.アルティガス著 浜林正夫/柴田知薫子訳 大月書店 (2005年)
『ガリレオの娘』 デーヴァ・ソベル著 田中一郎監修 田中勝彦訳 DHC (2002年)
『ガリレオは海王星をみていた』 サイエンス編集部編 日経サイエンス社 (1988年)
『ガリレオ裁判』 ジョルジョ・ド・サンティリャーナ著 武谷三男監修 一瀬幸雄訳 岩波書店 (1973年)
『ガリレオの斜塔』 渡辺正雄編著 共立出版 (1987年)
『ガリレイの道』 青木靖三著 平凡社 (平凡社選書) (1980年)
『ガリレオ研究』 アレクサンドル・コイレ著 菅谷暁訳 法政大学出版局 (1988年)
『ガリレオの迷宮』 高橋憲一著 共立出版 (2006年)
『星界の報告』 ガリレオ・ガリレイ著 山田慶児/谷泰訳 岩波文庫 (1976年)
『天文対話』(上・下) ガリレオ・ガリレイ著 青木靖三訳 岩波文庫 (1959〜61年)
『新科学対話』(上・下) ガリレオ・ガリレイ著 今野武雄/日田節次訳 岩波文庫 (1937〜1948年)
『天文学史』 桜井邦朋著 筑摩書房 (ちくま学芸文庫) (2007年)

[著者] ジャン＝ピエール・モーリ

1937年生まれ。2001年没。パリ第7大学で物理学を教えていた。物理学の教科書や科学の入門書を数多く出版。おもな著書に，『地球はどのようにして丸くなったか』(1989年)や『ニュートンと天体力学』(1990年)がある。
※本書は1986年に刊行された旧版に，物理学者フランソワーズ・バリバール（本双書59『アインシュタインの世界』の著者）が手を加えた改訂版です。

[監修者] 田中一郎（たなかいちろう）

1947年兵庫県生まれ。1973年，東京大学大学院科学史・科学基礎論修士課程修了。同年，日本大学理工学部物理学教室助手。1978年より金沢大学教養部助教授を経て，現在，同大学大学院自然科学研究科教授。おもな著書に『ガリレオ』(中公新書)，『万有引力とプリズム』(共著,国土社)，『ガリレオの斜塔』(共著,共立出版社)，『科学史の世界』(共著，丸善)。おもな訳書に『ニュートン・光学』(朝日出版社)，『ガリレオの生涯』(共立出版社)，『アイザック・ニュートン』(共訳，平凡社)などがある。本シリーズ139『ニュートン』も監修。

[訳者] 遠藤ゆかり（えんどう）

1971年生まれ。上智大学文学部フランス文学科卒。訳書に本シリーズ84, 93, 97, 100, 102, 106〜109, 114〜117, 121〜124, 126〜131, 134, 135, 137〜139『私のからだは世界一すばらしい』(東京書籍)などがある。

「知の再発見」双書140　ガリレオ——はじめて「宇宙」を見た男

2008年9月10日第1版第1刷発行

著者	ジャン＝ピエール・モーリ
監修者	田中一郎
訳者	遠藤ゆかり
発行者	矢部敬一
発行所	株式会社　創元社 本　社❖大阪市中央区淡路町4-3-6　TEL(06)6231-9010(代) 　　　　　　　　　　　　　　　　　FAX(06)6233-3111 URL❖http://www.sogensha.co.jp/ 東京支店❖東京都新宿区神楽坂4-3煉瓦塔ビル 　　　　　　　　　　　　　　　TEL(03)3269-1051(代)
造本装幀	戸田ツトム
印刷所	図書印刷株式会社

落丁・乱丁はお取替えいたします。
©Printed in Japan　ISBN 978-4-422-21200-5

●好評既刊●

B6変型判/カラー図版約200点

「知の再発見」双書
科学史シリーズ12点

⑨天文不思議集
荒俣宏〔監修〕

⑰化石の博物誌
小畠郁生〔監修〕

㊽宇宙の起源
佐藤勝彦〔監修〕

㊿人類の起源
河合雅雄〔監修〕

�72錬金術
種村季弘〔監修〕

�74数の歴史
藤原正彦〔監修〕

�96暦の歴史
池上俊一〔監修〕

�99ダーウィン
平山廉〔監修〕

⑩写真の歴史
伊藤俊治〔監修〕

⑲ノストラダムス
伊藤進〔監修〕

㉛アラビア科学の歴史
吉村作治〔監修〕

⑲ニュートン
田中一郎〔監修〕